TODO MUNDO DO TEM UMA PRIMEIRA VEZ

ALE SANTOS · BÁRBARA MORAIS · FERNANDA NIA
JIM ANOTSU · OLÍVIA PILAR · VITOR MARTINS

TODO MUNDO TEM UMA PRIMEIRA VEZ

PLATA
FORMA 21

Todo mundo tem uma primeira vez
© 2019 VR Editora S.A.
Cangoma © 2019 Ale Santos; *Confissões* © 2019 Bárbara Morais;
O herói na sala 307 © 2019 Fernanda Nia;
O melhor de todos © 2019 Jim Anotsu; *Dança Comigo?* © 2019 Olívia Pilar;
Sete frases que poderiam mudar tudo © 2019 Vitor Martins

Plataforma21 é o selo jovem da VR Editora

Direção editorial **Marco Garcia**

Edição **Thaíse Costa Macêdo**

Editora-assistente **Natália Chagas Máximo**

Colaboração **Fabrício Valério**

Preparação **Carla Bitelli**

Revisão **Juliana Bormio de Sousa e Malu Rangel**

Capa, projeto gráfico e diagramação **Rafael Nobre**

Fotografia dos autores Ale Santos © Gleba do Pêssego (p. 208); Jim Anotsu © Marcos T. Fuse (p. 214); Olívia Pilar © Marcos Henrique Michelin (p. 216); fotografias de Bárbara Morais (p. 210), Fernanda Nia (p. 212) e Vitor Martins (p. 218) são de arquivo pessoal dos autores.

Dados Internacionais de Catalogação na Publicação (CIP)
(Câmara Brasileira do Livro, SP, Brasil)

Todo mundo tem uma primeira vez / Ale Santos...
[et al.]. – São Paulo : Plataforma21, 2019.
Outros autores: Bárbara Morais, Fernanda Nia,
Jim Anotsu, Olívia Pilar, Vitor Martins.

ISBN 978-65-5008-014-3

1. Ficção - Coletâneas 2. Ficção juvenil
3. Literatura brasileira I. Santos, Ale. II. Morais,
Bárbara. III. Nia, Fernanda. IV. Anotsu, Jim.
V. Pilar, Olívia. VI. Martins, Vitor.

19-29312   CDD-028.5

Índices para catálogo sistemático:
1. Ficção : Literatura juvenil 028.5
Maria Alice Ferreira - Bibliotecária - CRB-8/7964

Todos os direitos desta edição reservados à
VR EDITORA S.A.
Rua Cel. Lisboa, 989 | Vila Mariana
CEP 04020-041 | São Paulo | SP
Tel.| Fax: (+55 11) 4612-2866
plataforma21.com.br | plataforma21@vreditoras.com.br

Apresentação:
Escrever para transformar
por Socorro Acioli

9

SETE FRASES QUE
PODERIAM MUDAR TUDO
Vitor Martins

12

DANÇA COMIGO?
Olívia Pilar

42

O MELHOR DE TODOS
Jim Anotsu

70

O HERÓI NA SALA 307
Fernanda Nia

100

CONFISSÕES
Bárbara Morais

144

CANGOMA
Ale Santos

174

Sobre os autores

207

APRESENTAÇÃO

ESCREVER PARA TRANSFORMAR

Quando terminei de ler os contos que você vai conhecer agora, pensei na minha geração, na minha própria adolescência nos anos oitenta e noventa. Éramos jovens desbravando a vida em um Brasil que acabava de sair de uma ditadura militar.

Tentávamos entender os passos de uma democracia, lutamos por eleições diretas e acompanhamos o nascimento de uma Constituição que prometia colocar as coisas nos eixos. Tínhamos esperanças. Em honra dos que sofreram e morreram para que essa liberdade pudesse raiar, pisamos forte no chão como quem acorda para vencer depois de um pesadelo.

Muito tempo passou. Agora sou adulta e leio jovens autores como o Vitor, a Olívia, o Jim, a Fernanda, a Bárbara e o Ale com orgulho e alegria. Acompanho suas carreiras, e enxergo com a perspectiva de quem sabe exatamente o caminho percorrido por tantos para que eles hoje possam falar abertamente sobre os temas necessários e urgentes tratados neste livro.

Historicamente, somos um país que sempre está clamando por liberdade, em contextos distintos. Pois comemoremos o fato de que os seis autores deste livro podem encarar os temas importantes e urgentes que os contos trazem à tona, multiplicando a voz de tantos que já sofreram por causa da homofobia, do racismo e de todo e qualquer tipo de violência contra os nossos direitos fundamentais.

A Literatura é uma herança. Quem escreve hoje, no Brasil, carrega nas mãos uma história de muitos autores que vieram antes, mas também dos que não tiveram voz. Carrega, também, a responsabilidade de escrever um novo mapa, uma rota, a construção de um farol para quem está vindo passos atrás, tentando aprender sobre a vida.

Daqui a pouco o Vitor, a Olívia, o Jim, a Fernanda, a Bárbara e o Ale serão mais velhos, olhando para a geração que virá. E terão orgulho da própria coragem de abraçar a literatura, de escrever, aprender, falar do que precisa ser dito.

A vida passa bem rápido, parece uma piscada. Enquanto vai passando a gente aprende sobre o que realmente vale a pena. As coisas que valem estão escritas aqui, nos seis contos: amizade, amor, solidariedade, coragem, risco, aventuras, emoção, humor, família, a descoberta de que o mundo é grande, é gigante e espera por nós.

Seis autores, seis estilos, seis vozes fortes falando da primeira vez em que o coração bate mais forte, por motivos diversos. Impossível não identificar a própria vida nas histórias que eles contam aqui, você vai ver. Sorte mesmo é quem aprende que fazer qualquer coisa pela primeira vez é sempre bom, nunca é tarde demais, é necessário, faz a vida valer a pena.

A adolescente que eu fui adoraria deitar na rede, segurar este livro nas mãos e só soltar na última página. Ela ainda mora aqui dentro e está feliz. São tempos difíceis, mas a palavra tem sido, cada vez mais, um forte instrumento de transformação. A palavra coragem, sobretudo, é nossa maior guardiã.

SOCORRO ACIOLI é cearense nascida em Fortaleza. Jornalista, escritora, doutora em Estudos de Literatura pela Universidade Federal Fluminense e professora de Escrita Literária.

SETE FRASES QUE PODERIAM MUDAR TUDO

VITOR MARTINS

É noite de sexta-feira e eu estou cansado, sozinho e sem dinheiro. As leituras da faculdade se acumulam na mesa de cabeceira e, por mais que eu saiba que preciso estudar, meu corpo não obedece aos comandos. Abro um pacote de Doritos, deito na cama encarando o *notebook* e dou *play* em mais um episódio de *Queer Eye*. É mais forte do que eu.

Tenho vivido no automático nos últimos meses, e em parte isso é bom. Estágio, faculdade, casa e *reality shows* que me fazem chorar imaginando a possibilidade de um grupo de cinco gays causarem uma mudança repentina na minha qualidade de vida. O ciclo se repete todos os dias, mas eu não reclamo, porque ele me mantém longe de qualquer drama. É o que me impede de lembrar dos dias em que as coisas eram melhores pra então, de repente, ficarem horríveis.

Tudo indicava que esta seria uma sexta-feira como outra qualquer, mas quando uma janela aparece no cantinho direito do meu computador indicando um novo *e-mail* e invadindo a tela que até então só me mostrava uma cena inofensiva do Antoni Porowski preparando um cachorro-quente, eu quase paro de respirar.

Sempre achei estúpido quando, nos livros de romance, o protagonista diz que "soltou o ar que nem sabia que estava segurando", mas hoje isso finalmente faz sentido pra mim. Depois de prender a respiração por uns cinco segundos, libero uma longa bufada de ar quente, que sai como um bafo apimentado por causa do Doritos, e clico na notificação, que me leva para a minha caixa de entrada e me mostra o *e-mail* que acabou de chegar.

De: **Henrique Júnior (rique_jr@email.com)**
Para: **Adriano Castro (adri.castro@email.com)**
Assunto: **Oi**

Adri,
Eu vou ser direto. Estou arrependido. Queria tentar de novo. Esquecer tudo o que passou. Começar do zero. Viver tudo como se fosse a primeira vez. Me dá mais uma chance?

Ele nem assina o *e-mail*. Não termina com "Beijos" ou "Espero sua resposta" ou "( ) Sim / ( ) Não" nem nada disso. Assim como foi embora, Henrique reaparece na minha vida: do nada, como aquelas chuvas de verão que duram meia hora e só servem pra te molhar no caminho do metrô até sua casa. Ele chega, diz sete frases que poderiam mudar tudo, e vai embora deixando a bomba-relógio na minha mão.

Faz quase um ano que nós dois não nos falamos. Quase um ano que eu não recebo nenhuma notificação com seu nome. No entanto, o efeito continua sendo o mesmo de quando éramos namorados e ele me mandava áudios bonitinhos de boa-noite imitando a voz do Pato Donald. Meu coração acelera.

Eu não sei o que responder. Releio as sete frases um milhão de vezes, procurando algum sinal nas entrelinhas que me mostre que ele é o mesmo Henrique que eu conheci. Mas é tudo tão frio, tão genérico. Eu poderia até achar que o *e-mail* é um trote, mas reconheço a conta dele. Ao lado do seu nome está a foto minúscula de Henrique sentado a uma mesa de restaurante, olhando para o lado e sorrindo. Tem uma árvore no fundo, e o contraste do verde com a camiseta vermelha dele fica muito bonito. Fui eu que tirei essa foto. Fui eu que falei para ele olhar pro lado e sorrir, porque sempre amei o nariz de Henrique.

Eu não sei o que responder.

Fecho o *notebook* com força, empurro para debaixo da cama e me cubro até o pescoço com o cobertor, como se estivesse me escondendo do fantasma de Henrique. Eu vou dormir, pensar nisso amanhã, conversar com meus amigos e tomar uma decisão. Pela primeira vez na vida, serei sensato e não vou tomar atitudes sem pensar, porque isso nunca me trouxe nada de bom. Eu vou dormir. Vou resolver depois. Vou esquecer Henrique.

Bem, quem eu estou querendo enganar? É óbvio que não consigo dormir. Concluo isso em menos de três minutos, então puxo o *notebook* de volta para o meu colo e encaro a janelinha do *e-mail*.

Eu vou responder. Vou responder agora. Sinto que tenho muita coisa pra falar e decido aproveitar este momento de coragem para botar tudo pra fora, porque não sei quando vou ter coragem de novo. É só um *e-mail*. São só sete frases.

Penso em colocar para tocar a *playlist* que fiz para nós dois, abandonada desde que tudo acabou, mas deixo pra lá. O silêncio vai ser a trilha sonora disso aqui. Respiro fundo e começo a digitar.

De: **Adriano Castro (adri.castro@email.com)**
Para: **Henrique Júnior (rique_jr@email.com)**
Assunto: **Re: Oi**

Oi, Rique,
Eu não estava esperando receber notícias suas hoje. Não estava esperando saber que você se arrependeu e quer começar tudo de novo. Eu achei que você já tinha me esquecido. Mas eu não te esqueci. Eu ainda penso em você quase todos os dias e, sabe? É difícilllllaaaiundwaunsoa aaaaaaaaaa

Deleto tudo. Respiro fundo. Começo de novo.

Rique!!!
Eu estava comendo Doritos quando seu *e-mail* chegou, lembrando de como você gostava de lamber meus dedos quando eu comia Doritos porque você odiava a textura de Doritos, mas amava o sabor daquele pozinho laranja. Isso nunca fez sentido pra mim porque quem não gosta da *textura* de Doritos???

Apago de novo. Isso vai ser bem mais difícil do que eu imaginava. Mas preciso ser honesto. Honesto com Henrique e, principalmente, comigo mesmo. Releio as sete frases pelo que me parece ser a bilionésima vez e enfim sei como começar.

Oi, Henrique,
Saber que você está arrependido e quer viver tudo de novo, como se fosse a primeira vez, me pegou de surpresa. Me fez lembrar de todas as primeiras vezes que eu vivi com você e, parando pra pensar, nossa história sempre girou em torno delas, né? Eu te conheci no meu primeiro emprego e tenho lembranças boas daqueles dias até hoje. Não sei o que se passava na minha cabeça quando aceitei a vaga de animador de festa infantil. Eu estava quase me formando no Ensino Médio e não tinha experiência em nada. Achar um emprego parecia uma missão impossível até

rolar o trampo lá na casa de festas. Foi coisa da minha tia. Ela disse que o dinheiro era bom e o trabalho era discreto. Pelo menos uma coisa era verdade, mas infelizmente não era a parte do dinheiro. O trabalho era mesmo discreto. Ninguém seria capaz de me reconhecer por baixo daquela fantasia de Pikachu que pesava duzentos quilos e era quente feito um forno.

Eu me lembro do dia em que te contrataram. A dona da casa de festas (qual era mesmo o nome dela? Sônia? Antônia?) entrou muito empolgada falando que tinha arrumado o Pato Donald perfeito. A fantasia já tinha sido alugada e o novo funcionário imitava o Donald como ninguém. Lembro de ela comentar que, se eu fechasse os olhos, daria pra acreditar que era o pato de verdade – e eu não soube como dizer que, bem, não existe Pato Donald de verdade. Nem te vi chegar no primeiro dia. Era uma festa de onze anos, eu não esqueço. Crianças de onze anos eram as piores, porque elas já tinham perdido a capacidade de acreditar nas fantasias horríveis que a gente usava e tentavam a todo custo arrancar a cabeça de espuma enquanto gritavam: "ESSE NÃO É O PIKACHU, É UM HOMEM FANTASIADO!!!".

Eu te juro que ouço esses gritos nos meus pesadelos até hoje.

Daí você apareceu, com sua fantasia encardida de Donald, fazendo uma imitação impecável e chamando a atenção das crianças, e todas elas decidiram parar de tentar me desmascarar. Você praticamente *salvou a minha vida*, e eu nunca te agradeci. Então, se este *e-mail* no fim das contas servir para alguma coisa, que seja para te agradecer por aquele dia.

Quando a festa acabou e fomos nos trocar, fiquei chocado quando descobri que você era bonito. Ninguém espera que, por baixo daquela fantasia horrorosa, estivesse alguém *como você*. Porque, sério, Henrique, você poderia trabalhar como modelo até naquela época. Cobrir você inteiro com uma fantasia de espuma era um desperdício. Acho que eu disse isso em voz alta um dia, não disse? Foi uns dois meses depois, um pouco antes de a gente se beijar.

Nosso primeiro beijo não foi o *meu* primeiro beijo, mas foi o motivo da minha primeira demissão. Lembra daquela garotinha que viu a gente junto na cozinha do salão de festas e saiu gritando: "O PIKACHU E O PATO DONALD ESTÃO SE BEIJANDO!!!"?

A gente deu bobeira demais naquele dia. Mas, sabe, eu não me arrependo. Quando tomei coragem pra te beijar pela primeira vez, experimentei um daqueles momentos de filme em que tudo acontece em câmera lenta e um solo de saxofone começa a tocar ao fundo. Não é todo dia que a gente vive um momento *desses*, né? Claro que não gostei da nossa demissão, que aconteceu logo depois, mas também não é como se quiséssemos seguir a carreira de animadores de festa infantil. E, no fim das contas, a gente ganhou uma história engraçada sobre primeiro beijo pra contar. Eu, pelo menos, contei essa um milhão de vezes. Um milhão e uma. Porque acabei de repetir tudo pra você, que não apenas já conhecia a história como também a viveu. Peço desculpa por isso, mas a culpa é sua por estar me fazendo relembrar dos momentos bons que vivi com você.

Você, que me mandou sete frases, vai acabar recebendo um livro de memórias como resposta.

Lembra o nosso primeiro filme juntos? Foi antes do beijo, não foi? Eu sei que, um dia, depois do trabalho, eu falei: "Ei, quer ir ao cinema qualquer dia desses?". E você disse que sim. Eu estava muito a fim de você e achei que te chamar pra ver um filme seria o início de nós dois. (Não foi.) (Mas, olhando agora, acho que foi sim.) A gente passou dois anos juntos, e tudo o que aconteceu às vezes se mistura na minha cabeça como uma grande massa de Henrique, não consigo separar o começo do meio e do fim. Mas o primeiro cinema foi antes do primeiro beijo, sem dúvida. Eu não tive coragem de te beijar no cinema, e você também não demonstrou que queria me beijar. Você sempre foi ruim em demonstrar coisas, né, Henrique? Talvez esse tenha sido um dos pedaços da massa de coisas que fizeram com que a gente terminasse.

Eu nem sei por que estou com essa coisa de falar sobre massas. Nem faz sentido. Acho que estou com fome, mesmo tendo acabado de detonar um saco de Doritos (daqueles bem grandes que as pessoas compram pra dividir, mas eu compro pra comer sozinho). Estou comendo muito porque estou nervoso. No caso, ansioso. Lembrar disso tudo me deixa ansioso.

Na noite do nosso primeiro filme, eu estava quase tão elétrico quanto estou agora. Comi um balde gigante de pipoca antes dos *trailers* terminarem e depois não fazia ideia de onde enfiar minha mão. Eu sabia que você era gay porque você tinha deixado bem óbvio no trabalho: falava coisas sobre o seu ex-namorado, sobre *caras* e sobre *coisas que queria fazer com outros caras*. Você sempre foi tão confiante... Eu meio que invejava isso em você. Do seu lado, me sentia uma batata. Às vezes eu me pergunto se a gente teria durado mais tempo se eu fosse mais confiante e menos batata.

Acho que foi naquela noite que me apaixonei por você. A gente estava sentado quase na ponta da fileira. Éramos tipo J2 e J3. E chegou um casal que só tinha conseguido comprar as poltronas J1 e J4. Você sugeriu trocar de lugar para que eles ficassem juntos, pulou para a J1 e deu seu lugar pra moça assistir ao filme do lado do namorado. Você lembra de ter feito isso? Porque foi nesse momento que percebi que você tinha um coração bom e prestava atenção ao que estava acontecendo à sua volta.

Eu não lembro qual filme a gente assistiu. Lembro dos números das nossas poltronas, mas não do filme. Acho que minha memória só decidiu ficar com o que era importante.

Você lembra da primeira vez que andamos de mãos dadas na rua? Foi logo depois que oficializamos o namoro. Que *você* me pediu em namoro, na verdade. Isso também conta com uma das minhas primeiras vezes com você. Foi o primeiro pedido de namoro que eu disse "sim" (na quarta série, uma garota chamada Daiane me pediu em namoro na hora do recreio e eu não aceitei). Você foi meu primeiro "sim".

A gente estava passeando numa livraria depois da aula. Você tinha que trabalhar às três da tarde e eu não tinha nada pra fazer, porque, depois da demissão da casa de festas, não arrumei nenhum outro trabalho até terminar o Ensino Médio. Na época, tinha um livro famoso desses de negócios e empreendedorismo com o título "Deixa eu te fazer uma pergunta importante", e você chegou, do nada, e colocou o livro na minha mão. Eu demorei muito para entender que você queria me fazer uma pergunta importante. E que era pra eu abrir o livro. Meu Deus, eu era tão devagar pra entender as coisas! Você quase teve que abrir o livro pra mim.

Quando vi um *post-it* colado na primeira página, com aquele "Quer namorar comigo?" escrito, eu tive vontade de gritar. Foi bem fofo, e você ganhou muitos pontos por pensar em um pedido de namoro tão criativo gastando zero reais. Eu guardei aquele *post-it* por muito tempo. Deve estar aqui em casa até hoje, numa caixa de tranqueiras que fica dentro do meu guarda-roupa.

Sua letra era feia, Henrique. Acho que nunca tive coragem de dizer isso, mas estou dizendo agora. Sua letra sempre foi muito feia. Parecia um rabisco constante. Parecia aquela capa do cd do Joy Division que você sempre escutava e que eu fingia gostar só pra te agradar.

Me sinto aliviado de finalmente poder colocar isso pra fora. De um ano pra cá, desde que a gente terminou, eu me peguei pensando várias vezes no que eu poderia ter feito para evitar o fim, e ser sincero está sempre em primeiro lugar. Tinha medo de tudo o que poderia acontecer se dissesse as minhas opiniões sem filtro nenhum. Tinha medo de você querer terminar comigo se eu te contasse que achava Joy Division horrível. Cada medo estúpido, sabe? Mas aí, foi isso. E a primeira vez que a gente andou de mãos dadas em público? Foi logo depois que eu disse sim para a sua "pergunta importante". Nós saímos da livraria de mãos dadas e eu te acompanhei até a farmácia onde você trabalhava.

Eu lembro que senti um pouco de medo naquele dia. Medo de ser julgado por estranhos. Medo de ser encontrado por conhecidos. Mas, sei lá, você sempre me passou uma sensação de proteção muito grande. Eu me sentia invencível ao seu lado, e às vezes me pergunto se você também se sentia assim quando estava comigo. Invencível.

Andar com você e falar para os meus amigos que eu tinha um NAMORADO, assim, com todas as letras em maiúsculo, era surreal demais pra mim. Desde que eu tinha aceitado (mais ou menos) a minha sexualidade, tinha me conformado de que ser gay sempre seria uma via de mão dupla pra mim. Ao mesmo tempo em que poderia viver tranquilo, sendo quem eu realmente era, acreditava que ser eu mesmo significava envelhecer sozinho e afastar todo mundo pelo resto da vida. Quando eu disse sim pra você, tudo mudou. Tive certeza de que não iria envelhecer sozinho. Eu iria envelhecer ao seu lado, criando uma horta nos fundos da nossa casa e contando para os nossos netos sobre como a primeira vez em que a gente se beijou foi também o primeiro beijo do Pikachu com o Pato Donald. Em um segundo, fui capaz de imaginar nosso futuro inteiro acontecendo do jeito mais surreal possível.

Gays intensas.

Hoje eu lembro e dou risada. Porque nem se a gente tivesse dado certo o meu ideal de velhice feliz iria acontecer. Você sempre disse que não queria ter filhos. Eu acreditava que com o tempo você iria rever suas ideias e seria atingido pelo raio da paternidade.
A gente tinha dezessete anos, Henrique!!! Olha o tipo de coisa que eu pensava aos dezessete anos!!!
Gays PRA LÁ de intensas.

Foi isso que sua amiga Renata disse pra mim quando eu conheci seus amigos. "Você é aquariano, né? O Henrique me contou que você é intenso." Na hora eu dei risada e fiquei chocado com o fato de ela ter conseguido adivinhar meu signo assim, do nada. Depois, é claro, fiquei pensando e repassando aquela conversa na minha cabeça por muitos e muitos dias.

Conhecer seus amigos foi um passo muito importante pra mim. Era quase como conhecer sua família. Eu sabia que qualquer coisa que eu fizesse de errado seria levada em conta na soma final dos pontos. Me senti avaliado por todo mundo, menos pela Renata, que, apesar da coisa do signo, sempre foi muito legal comigo. Mas os outros... Sei lá, viu? Acho até hoje que todos os seus amigos me odeiam. E não do jeito que a gente tem a obrigação moral de odiar o ex do nosso melhor amigo. Eles me odiavam bem antes de a gente ser ex. Inclusive, por favor, me confirme isso assim que possível!!!

E aquele seu amigo Gael. Ele era totalmente a fim de você, não era? Porque ele parecia se esforçar *tanto* para rebater qualquer coisinha que eu falava. Ele odiava tudo, não era possível! Eu comentei qualquer coisa sobre miojo sabor tomate e ele fez questão de levantar da mesa e dizer, com estas exatas palavras, que "miojo de galinha caipira PISA no miojo de tomate". Ele estava realmente investindo em uma briga sobre sabores de miojo!!! Só podia ser porque ele me odiava. Além do mais, eu duvido que ele se chame Gael de fato. Ninguém se chama *Gael*. Por favor, me confirme isso também!

Para ser sincero, acho que tudo bem, porque eu sempre odiei seus amigos, Henrique. É bom poder dizer isso, também. Menos a Renata. Eu gosto da Renata de verdade, e tem dias que me pergunto se seria estranho chamar ela para tomar um café, sei lá. Não quero roubar sua amiga nem nada. Só tenho saudade dela.

Acho que parte de mim ainda é muito grata por toda a ajuda que a Renata nos deu quando chegou a hora da nossa primeira vez. *Aquela* primeira vez. Até hoje não sei se foi você que pediu ou se ela ofereceu a casa dela pra gente transar. Acho que seria bem a cara dela. Oferecer a casa e tal.

A gente já estava junto fazia uns três meses, eu tinha entrado na faculdade e você também, e, por mais que eu quisesse que tudo acontecesse de um jeito especial e planejado, eu estava *desesperado* para fazer sexo. Na minha turma, as pessoas só falavam sobre sexo o tempo todo e eu me sentia muito deslocado. Era tipo quando você está num grupo de conversa e alguém comenta sobre como o verão na Irlanda é uma delícia, e outra pessoa começa a mostrar as fotos das férias na Grécia, e de repente alguém pergunta "Mas vocês já conhecem a Disney do Japão?", e você fica em silêncio porque a viagem mais longe que já fez foi de ônibus. Para Uberaba.

Era assim que eu me sentia toda vez que falavam sobre sexo perto de mim. Só que a angústia era ainda mais intensa, porque, diferente de viajar pra fora do país, dá pra fazer sexo de graça!!! Eu só queria fazer logo. E nem era pra contar pros outros. Era só pra saber que já tinha feito. Acho que esse meu desespero todo foi o grande culpado pela nossa primeira vez ter sido horrível. Você também achou horrível? A gente nunca conversou honestamente sobre isso. Durou, sei lá, uns quinze minutos. Daí você

perguntou: "Adri, foi bom?", e eu menti, óbvio. Eu não tinha nenhum parâmetro pra saber se havia sido bom ou ruim, mas tinha certeza de que poderia ser melhor.
E mais pra frente foi.

Nossa segunda vez foi um pouco mais delicada e menos apressada, mas a *terceira* vez! Nossa, a terceira vez foi incrível. Acho que quando eu for velho e minha memória começar a ser mais seletiva, meu cérebro vai apagar completamente as duas primeiras e guardar a terceira vez como minha primeira experiência sexual oficial. A gente descobriu finalmente o encaixe perfeito de nós dois (o emocional e, bem, o das outras coisas). Parecia que éramos duas caixas de som tocando a mesma música ao mesmo tempo, finalmente sincronizados. Eu não vou ficar arrumando eufemismos pra falar sobre como a gente se aperfeiçoou sexualmente. Você sabe. Você estava lá. A gente ficou muito bom nisso.

E eu confesso que, desde que a gente terminou, pensei algumas vezes em te ligar pra sugerir só um sexo rápido e sem compromisso. A gente não precisaria nem conversar. Seria só pra matar a saudade da coisa física.

Mas eu nunca fiz isso porque sabia o que vinha depois.

Depois da nossa terceira vez, você disse que me amava pela primeira vez.

Eu fiquei confuso, porque foi exatamente depois. Nem um segundo antes. Você ainda estava ofegante quando disse: "Caralho, Adri! Eu te amo!", e eu achei que era o tipo de coisa que as pessoas dizem quando estão com muito tesão, sei lá. Achei que esse fosse o seu fetiche: amor.

Só que depois você repetiu que me amava, e não como alguém que espera uma resposta e só diz que ama pra ouvir que também é amado. Você repetiu enquanto apertava o lóbulo da minha orelha, que era meio que *a nossa coisa*. Daí eu tive certeza e, pela primeira vez, disse que também te amava.

Eu já sabia que te amava. Eu já sabia mesmo depois da nossa primeira transa desastrosa, mas não queria ser o primeiro a dizer. Fico feliz que você tenha falado antes.

Algumas semanas depois do primeiro "eu te amo", foi meu aniversário de dezenove anos, e acho que naquele momento eu estava vivendo o auge da minha felicidade. Fomos para um barzinho juntos, te apresentei aos meus amigos e todo mundo adorou você. Eu ficava feliz demais toda vez que você contava uma piada e meus amigos gargalhavam alto. Você contava sobre os seus planos de estudar música e sobre o seu processo de compor letras, e todo mundo achava incrível. Você era lindo, talentoso, engraçado e sabia como capturar a atenção de qualquer um. Eu me sentia namorando um astro do *rock*. Ou um "astro do *indie* acústico experimental", como você gostava de chamar o tipo de música que fazia.

Em pouco tempo, consegui um estágio e dinheiro suficiente para ir morar sozinho em uma quitinete minúscula na zona norte. Ainda moro aqui, caso você esteja se perguntando. E tem dias que são difíceis, porque cada canto desses dezoito metros quadrados me lembra você. Porque, quando a gente não precisou mais contar com a boa vontade da Renata para emprestar o apartamento dela para fazermos sexo, a coisa ficou muito mais intensa.

Ter um lugar só meu não significou apenas ter um lugar para transar. Significou ter um lugar pra construir alguma coisa juntos. E acho que talvez tenha sido um erro. Eu odeio o argumento "a gente era novo demais", mas acho que, no fim das contas, foi isso que fez a gente acabar. Éramos novos demais, pelo menos para viver como nós vivíamos.

Mas eu aproveitei cada segundo e foi tão bom. Nos fins de semana em que você ficava aqui em casa, eu conseguia vislumbrar como seria o futuro de nós dois. Aos poucos, você foi ficando e ficando. E, quando eu percebi, você já tinha um pijama (aquela camiseta velha com estampa de surfista que você usava pra dormir, toda respingada de tinta amarela de quando me ajudou a pintar uma das paredes da quitinete), uma escova de dentes (que você comprou na farmácia que tem aqui debaixo do prédio, junto com um antialérgico pra mim e um pacote daquelas camisinhas com sabor que a gente nunca conseguiu usar, porque eram verdes e, quando eu te vi com uma delas, não consegui parar de rir) e o seu próprio xampu, porque se sentia culpado de usar o meu, de cinquenta reais, mesmo quando eu insistia que não tinha problema e que não adiantava nada pagar barato e encher seu cabelo de sulfato. Você nunca ligou pro sulfato, sempre escolheu xampu baseado no preço e na cor da embalagem, e o seu cabelo sempre foi lindo mesmo assim. Que ódio.

As lembranças das vezes em que dormi fazendo cafuné em Henrique me tiram do transe e eu volto à realidade. Encaro a tela do meu *notebook* e passo rapidamente os olhos por tudo o que escrevi até agora. Acho que, depois de tanto tempo fugindo e evitando ao máximo pensar em nós dois, eu havia me esquecido completamente das coisas boas que vivemos juntos.

Passar esse tempo todo me lembrando de tudo o que aconteceu faz com que eu questione se a nossa história *realmente* acabou. Me pego pensando se Rique e eu somos tipo aqueles casais de filme que se conheceram na hora errada e ficam indo e voltando até o momento certo aparecer. Me pergunto se agora é o momento certo. Se tudo o que a gente viveu junto e todas as minhas primeiras vezes com Henrique me trouxeram para este exato momento: esta madrugada um pouco triste e solitária em que eu só queria comer Doritos e dormir, mas fui surpreendido por um *e-mail* que nunca pensei que chegaria.

Preciso me controlar para não apagar tudo, digitar "EU TOPO SIM, VAMOS NOS VER ESTA SEMANA? AMANHÃ? TÁ LIVRE AGORA???" e clicar em "enviar", porque a saudade de estar com alguém grita alto hoje. Mas alguma parte de mim que ainda tem o mínimo de prudência me impede de agir assim.

Olho para o relógio no canto da tela do computador. Já são quase uma e meia da madrugada e eu sei que não vou conseguir dormir. Penso em ligar para qualquer um dos meus amigos, mas sei que eles estão dormindo, ou bebendo, ou ocupados demais pra me ouvir falar sobre o Henrique mais uma vez. É triste pensar que, agora, sou apenas eu aqui no quarto. E eu não costumo confiar muito em mim.

Sem saber direito o que fazer, coloco a *playlist* de nós dois para tocar e continuo escrevendo. Eu não tenho mais nada a perder.

Fazer carinho no seu cabelo até pegar no sono é uma das coisas que mais me fez falta nos primeiros meses depois do término, sabe? A falta de você na minha vida aparecia nas coisas mais bobas, nos detalhes mais idiotas. E o detalhe é o que machuca mais.

Eu não me sentia mal quando aparecia em qualquer festa da faculdade sem você, alguém perguntava "Ué? Cadê

seu namorado?" e eu respondia com um sorriso amarelo que a gente tinha terminado. No fundo, eu até achava graça, porque a cara da pessoa era sempre impagável. Mas toda vez que alguém fazia qualquer comentário bobo que se encaixava perfeitamente em qualquer uma das nossas piadas internas e eu automaticamente olhava pro lado esperando te encontrar pra gente rir junto, isso sim machucava. Ou quando eu abria o aplicativo pra pedir comida e começava a procurar todos os sabores que não tinham cebola até me dar conta de que quem não gostava de cebola era você, e eu poderia pedir uma pizza inteira *apenas* de cebola que não teria problema algum. Nossa, isso doía *demais*.

Recriar uma rotina sem você foi um trabalho chato, mas eu sinto que, se precisasse voltar aos nossos velhos hábitos, eu me acostumaria em um segundo. Voltaria a pedir pizza sem cebola, a deixar o volume da TV sempre em um número múltiplo de cinco, a colocar pasta na sua escova de dentes enquanto você toma banho, porque estamos atrasados pra sair e você acredita que se eu te ajudar a poupar o tempo de colocar pasta na escova de dente nós vamos conseguir chegar no horário. Sempre fui muito bom em me adaptar a essas suas manias, e achava que era isso o que nos tornava uma dupla de sucesso.

Mas, hoje, percebo que o problema também foi esse. Com o passar do tempo, a gente deixou de ser um casal e passou a ser uma dupla.

Eu devia ter começado a fazer terapia, mas ainda não tive tempo. Nem coragem, sei lá. Essa coisa de "casal que virou dupla" eu descobri sozinho nas noites em que passei me autoanalisando por horas, porque não conseguia dormir direito. Isso meio que conta como terapia, não conta? (Eu sei que não conta, não precisa responder.)

Hoje eu não consigo saber exatamente qual foi o começo do nosso fim. Acho que foram vários caminhos curtos que se encontraram em um ponto único, onde existia uma placa gigante em que estava escrito "O FIM COMEÇA AQUI". E dali em diante, foi só ladeira abaixo.

Esses caminhos curtos foram todas as brigas bobas que a gente teve. Sua crise de ciúme por causa daquele menino da minha faculdade que eu nem lembro o nome, porque ele era do curso de Direito e a gente não tinha nenhuma aula junto. Ele só me emprestou dinheiro pro ônibus num dia em que eu esqueci meu bilhete em casa e você transformou a situação num circo. Foi ridículo. Teve a nossa minibriga sobre você ter acabado de pagar as parcelas do cartão de crédito e já estar com planos pra parcelar mais coisas e comprar um *videogame* novo ou algo assim. Eu me meti na sua vida financeira sem nem ser chamado – mesmo que fosse por uma boa causa (eu me preocupava com você e com seu dinheiro), eu não tinha esse direito. Foi ridículo da minha parte, e sou maduro o bastante para reconhecer isso agora. E, sim, estou me dando validação por reconhecer que fui uma pessoa horrível.

Depois disso, as minibrigas viraram brigas, que viraram *grandes brigas*. E é triste pensar que, depois de quase um ano sem você, eu não lembro o motivo de quase nenhuma delas. Porque era tudo tão bobo, sabe? Eu me recordo apenas de uma dessas grandes. A primeira, claro. Uma primeira vez que eu não queria ter tido com você. Nossa primeira briga *de verdade*.

Era o fim do meu primeiro semestre na faculdade e eu estava ficando maluco. Estava pagando a minha língua por ter criticado universitários que só reclamam na internet sobre O Fim Do Semestre, porque sempre achei que tudo era uma grande tempestade em copo d'água. Até que chegou a minha vez e eu percebi que, de fato, a faculdade se torna um grande incêndio descontrolado uma vez a cada seis meses. Eu tinha trabalhos pra entregar, leituras pra concluir, um seminário em grupo para apresentar, e eu odiava todas as pessoas do grupo. Eu estava cansado e emocionalmente exausto, e toda vez que me sentia assim eu corria pra você, porque você sabia me acalmar com sorvete e episódios antigos de *Esquadrão da Moda* no YouTube.

Só que daquela vez eu não podia fazer isso. Não podia parar tudo pra ficar quarenta minutos descansando com você, porque seriam quarenta minutos sem concluir tudo o que eu tinha deixado acumular. Eu poderia ter dito isso de maneira clara como estou dizendo agora, mas de alguma forma eu esperava que você adivinhasse. Eu não queria sorvete naquela noite. Queria que me entregasse um resumo pronto e bem-feito dos dois livros que eu precisava terminar de ler. Mas você não podia fazer isso por mim. Você só tinha o sorvete e o *Esquadrão da Moda* e, naquela noite, aquilo não era o bastante.

Eu queria ficar sozinho, mas disse sim quando você perguntou se podia passar a noite em casa. Sei lá por que eu disse sim. Eu não estava acostumado a dizer não pra você, Henrique. Minha resposta provavelmente foi força do hábito.

Você chegou e a gente começou aquele diálogo clássico que se repetiu por tantas vezes ao longo do restinho do nosso namoro:

"Tá tudo bem?"
"Tá."
"Não tá não, você tá esquisito."
"Eu não estou esquisito, eu tô normal."
"Eu te conheço, você não tá bem."
"Não é nada."
"Foi alguma coisa que eu fiz?"
"Não. Tá tudo bem."
"É só que eu me preocupo com você..."
"Está. Tudo. Bem."
"Se precisar de alguma coisa é só falar que eu faço."
"Nem tudo é culpa sua, minha vida não se resume só a nós dois!"
Silêncio constrangedor por alguns minutos até alguém ir à cozinha fingir que está fazendo alguma coisa útil

Os papéis neste diálogo iam se alterando dependendo de quem estava mal no dia. Na primeira vez, fui eu quem explodiu. Fui eu quem fingiu que estava bem e não soube explicar de maneira clara que queria ficar sozinho. Você também não soube me dar o espaço de que eu precisava, mas também você não tinha como adivinhar que eu queria espaço, mas, se me conhecesse tão bem quanto dizia conhecer, será que não estava claro nos meus *sinais* que precisava ficar sozinho?

Tá vendo como é complicado? Porque, olhando o conjunto, os dois meio que tinham razão. E os dois eram culpados ao mesmo tempo. Mas, naquele momento parecia que eu era o dono da verdade e, quando falei que minha vida não se resumia só a nós dois, percebi que você quase chorou. A ideia de te magoar daquele jeito me fez mal, então pedi desculpa e disse que aquilo saiu da boca pra fora, mas a noite ficou esquisita até o fim.

Essa também foi uma primeira vez que eu não queria ter vivido, a primeira vez que menti sobre algo que eu disse pra evitar conflitos.

A verdade é que, de fato, minha vida não era só você e eu. Boa parte dela era, claro, mas eu tinha meus planos, minhas ambições, e não sabia como encaixar você em tudo o que eu queria fazer. Era cansativo como um jogo de Tetris no nível mais difícil, em que todas as peças mudam de tamanho, de forma e de cor o tempo inteiro. Quando eu achava que tudo estava encaixado, alguma coisa acontecia e eu ficava cada vez mais próximo do topo da tela, empilhando as peças da maneira mais afobada possível.

Pensando agora enquanto escrevo, talvez essa seja uma boa comparação para relacionamentos em geral. Um jogo de Tetris que, se não tem uma base organizada, não dura muito tempo. Porque as peças continuam caindo e você precisa ser rápido na hora de encaixar cada coisa em seu lugar. E, quando seu jogo já se transformou naquela pilha maluca e desorganizada, só resta a opção de apertar o botão para as peças caírem mais rápido, porque você já aceitou que não tem mais jeito. É mais fácil terminar por ali.

(Quem precisa de terapia quando se tem uma mente brilhante como a minha???) (Eu estou 100% brincando, preciso de terapia urgente!!!)

É difícil saber qual foi a peça que ultrapassou a tela e deu *game over* no nosso namoro. (Juro que vou parar com as metáforas de Tetris agora.) O que eu sei é que, num determinado ponto, a gente estava tão cansado que não dava mais pra continuar. Claro que os últimos meses do nosso namoro não foram só desgraça. Ainda era bom. Só não bom o bastante. Consigo me lembrar de algumas primeiras vezes boas que a gente ainda viveu naqueles meses.

Nosso primeiro beijo na chuva, que eu sempre quis que acontecesse porque a minha personalidade inteira foi construída com comédias românticas dos anos 2000 – que sempre contam com uma cena de beijo na chuva. Foi bom, mas a minha avaliação final é três estrelas. É muito molhado, a roupa fica pesada, e durante o beijo eu fiquei quase que o tempo todo preocupado se o meu celular estava encharcando no meu bolso. Acho que comédias românticas com beijo na chuva desconsideram completamente o fator *celular no bolso*.

Teve a primeira vez em que eu tive dinheiro o bastante para pagar um jantar para nós dois em um restaurante chique. A comida era francesa e boa demais. Eu finalmente experimentei *crème brûlée* (precisei pesquisar no Google rapidão aqui onde vai cada acento) e me decepcionei um pouco, porque não era tão gostoso quanto imaginei. Mas todo o resto foi ótimo. E eu postei uma foto linda sua, segurando uma taça de vinho e sorrindo pra mim.

Lembro que naquela noite, antes de dormir, fiquei lendo os comentários na foto e pensando que quem via aquilo não tinha a menor ideia de como nosso relacionamento estava horrível. Acho que te levar pra jantar foi meio que uma tentativa de fazer as coisas melhorarem, sabe? Tipo aqueles casais que acham que ter um filho vai salvar o casamento. Bem, a minha tática foi muito mais racional, e eu estou feliz que não vou ter que me preocupar com aquele *crème brûlée* até ele entrar na faculdade.

Era para eu estar falando das coisas boas, certo? Do que aconteceu de bom. Estou me justificando aqui para que no fim disso tudo a resposta para as suas sete frases seja um sim empolgado.

Mesmo durante o período mais esquisito do nosso namoro, a gente sempre arrumava tempo pra planejar coisas juntos. A gente pensava em adotar um bicho: eu queria um gato e você, um cachorro. Eu te venci pelo cansaço depois que a gente foi naquela feira de adoção de gatinhos no parque perto de casa. Eu poderia contar isso como uma primeira vez, a primeira vez que fomos a uma feira de adoção juntos, mas acho que já estaria forçando a barra.

No meio disso tudo, tiveram segundas, terceiras e quartas vezes de muitas coisas, que continuaram sendo tão especiais quanto as primeiras, porque eram com você. Você era o que tornava tudo especial pra mim, e acho que foi por isso que fiquei tão arrasado quando você ligou dizendo que a gente precisava conversar.

Eu estava saindo de uma aula depois das dez da noite e você me ligou do nada. Você nunca *ligava*. Ninguém *liga* hoje em dia. É engraçado que, quando vi seu número e sua foto na tela do celular, pensei imediatamente que você tinha morrido e que estavam me ligando porque eu era seu contato de emergência. Daí pensei que você nunca seria atencioso o bastante pra colocar contatos de emergência no seu telefone, e só então me dei conta de que estava me ligando pra terminar, o que me deixou ainda mais angustiado porque eu sabia que nosso término iria ser meio que uma morte. Isso tudo durou os três segundos que levei pra pegar o celular, aceitar a chamada e levar o aparelho até o ouvido. Foi desesperador.

Atendi a ligação, certo do que estava para acontecer, e fiquei aliviado quando pediu para conversar. Você não iria terminar comigo em uma ligação. Eu teria chances de me defender, mesmo estando totalmente despreparado e sem argumentos.

Você me esperou naquela pizzaria Mi Amore, perto da minha faculdade. A gente sempre deu muita risada desse nome, porque parecia que eles tinham escolhido literalmente a primeira expressão em italiano que alguém sugeriu na hora de dar nome pro restaurante. Por muito tempo, a gente ficou se chamando de *mi amore* de brincadeira, até que se tornou sério demais e eu tinha que me controlar pra não te chamar assim na frente dos outros. Essa é outra lembrança boa que me traz saudade. Prometo que nunca mais vou chamar nenhum namorado de *mi amore*. Esse apelido vai ficar sempre guardado pra você.

Enfim, a pizza na Mi Amore era ótima, mas naquele dia tudo estava horrível. Eu pedi uma fatia de pepperoni e você pediu uma de calabresa sem cebola, e nenhum dos dois terminou de comer, porque, assim que o garçom entregou nossa comida você parou com a conversa fiada e disse: "Acho que a gente precisa terminar".

A frase foi exatamente essa – não sei se ela foi calculada ou se foi o que saiu na hora. Revivi a cena cem mil vezes na minha cabeça. Você não disse "acho que eu quero terminar" ou "e se a gente terminasse?". Você disse que a gente *precisava* terminar. No fim das contas, a gente precisava mesmo.

Claro que eu demorei muito tempo pra entender isso. Na hora relutei, porque parecia ser o certo a fazer. Não sei se conseguiria só dizer: "Ok, tudo bem", terminar de comer a pizza e ir embora. Eu precisava lutar pelo que tinha, igual àqueles golfinhos enjaulados que batem com a barbatana nos biólogos marinhos que tentam tirá-los da prisão naquele documentário que a gente viu certa vez (acho que era isso, nem sei por que lembrei disso agora).

Eu fiz drama, aumentei meu tom de voz e até chorei na pizzaria. Porque, por mais que eu já estivesse cansado de como nosso namoro estava esquisito, eu não me importava de continuar tentando.

Sabe, Henrique, houve dias em que eu secretamente desejei que a gente tivesse terminado por um motivo definitivo e bombástico. Traição! Mentiras! Golpe! Acho que seria muito mais fácil de aceitar, superar e seguir em frente.

Nossos motivos eram tão difíceis de explicar... Porque eu nunca te odiei, mas não te amava mais do jeito que eu amava no começo. E eu não sabia se isso era normal (amar de forma diferente ao longo dos anos) ou se a gente só tinha mesmo virado amigo. Era meu primeiro namoro, e eu não tinha nenhuma experiência anterior. Tudo o que aprendi foi com você.

Depois de escrever tudo isso, acho que finalmente cheguei na parte que você não sabe: tudo o que aconteceu depois da noite na pizzaria.

Primeiramente, eu nunca mais pisei na Mi Amore. Cheguei a pedir pelo aplicativo uma vez, e o sabor da pizza me lembrava tanto de você que comecei a chorar enquanto comia e depois avaliei o pedido com uma estrela.

Depois da conversa definitiva, a gente teve aquele vaivém de duas semanas por mensagens, então você veio buscar umas coisas suas que deixei na portaria e foi só. O choque de parar de falar completamente com uma pessoa que sabia cada detalhe do meu dia a dia talvez tenha sido a parte mais difícil. Eu tinha meus amigos, é claro, mas não contava os detalhes da minha vida para eles como contava pra você. Eles não sabiam dos meus exames médicos, da minha lista de compras no mercado e de quantos dias se passaram desde que consegui ir ao banheiro pela última vez. Você sabia tudo.

Mas meus amigos foram muito importantes no processo. Já vou te avisando que, caso isto aqui acabe virando uma segunda chance, você vai ter trabalho com eles. Porque, bem, eles fizeram o que melhores amigos fazem quando alguém termina: pintaram um monstro por cima de você e me apontaram uns "defeitos" seus que eu nunca havia percebido. Eles odeiam quando você usa aquelas bermudas com bolso do lado, e como você começa todas as frases com "Mas, viu?", e como sempre conta a história da sua cachorra que fugiu quando você tinha seis anos mesmo sabendo que todo mundo já ouviu. Eu nunca me importei com nada disso, mas meus amigos odiavam.

Com o tempo, me treinei pra odiar também. Buscava detalhes ruins do nosso relacionamento e me agarrava a eles, porque eu só queria que nosso término fizesse sentido.

Um término que foi tão sem graça e sem emoção, mas ao mesmo tempo tão doloroso. O primeiro término.

Já faz quase um ano, Henrique. Onze meses desde que tudo acabou. Tem coisas que ainda me machucam muito, e coisas que eu sei que ainda vão me machucar. Mas, ao mesmo tempo, consegui enfiar uma vida inteira nesses onze meses.

Eu saí com alguns caras. Nada sério. Só pra tentar te esquecer e sempre deixando claro que não queria namorar. Não que alguém quisesse namorar comigo. Quando você termina um namoro, você vira uma bomba emocional que durante um bom tempo ninguém quer por perto. Se fosse só pra fazer sexo, alguns caras apareciam. Alguns muito bons, inclusive. Alguns até me *ensinaram coisas*. Eu não me arrependo de nada.

Aprendi também a organizar minha vida (mais ou menos), e os fins de semestre na faculdade nunca mais foram aquela loucura. Agora tenho um dia na semana pra lavar roupa! Eu tentei fazer *bullet journal*, porque fiquei obcecado por isso depois de ver uns vídeos no YouTube, mas desisti assim que me dei conta de que dá pra organizar tudo em um aplicativo de celular sem ter que gastar uma fortuna com canetas coloridas (obviamente, gastei uma fortuna com canetas coloridas antes de desistir).

Acho que você vai rir de mim, mas queria contar que aprendi a meditar! E estou meditando todos os dias! No começo foi horrível, porque a minha cabeça não me dá um segundo de descanso, mas, depois de muita prática, tenho conseguido.

Estou cozinhando em casa quase todos os dias, porque é bem mais barato. Obviamente continuo colocando Doritos na base da minha pirâmide alimentar, mas meu arroz não fica mais aquela gororoba horrível e eu sou constantemente surpreendido pela versatilidade da batata. Dá pra fazer absolutamente *tudo* com batata.

Como você pode perceber, a minha vida é basicamente um *Comer, rezar, amar* de baixo orçamento, e eu estou muito orgulhoso da Julia Roberts que me tornei.

Paro de digitar freneticamente para secar o suor escorrendo da minha testa e rir da minha própria piada com *Comer, rezar, amar*. Imagino o Henrique lendo isso e abrindo aquele sorriso amarelo que ele sempre tinha quando eu fazia piadas com filmes água com açúcar que ninguém se importa muito.

E é nessa hora que eu tenho a minha revelação. A grande revelação que sempre acontece no final desses filmes. A maçã que cai na minha cabeça provando que a gravidade existe. Aquele instante que muda tudo.

Eu sempre tive minhas dúvidas a respeito de superação. Sempre achei que superar alguém é deletar a pessoa das redes sociais e aprender a viver sem ela. Conhecer outra pessoa e recomeçar o ciclo todo. Sempre imaginei que superar Henrique significaria não ter mais nenhuma lembrança dele e ver todas as memórias que a gente construiu juntos serem substituídas por memórias melhores.

Mas, nesta madrugada de sexta para sábado, sozinho no meu quarto e com farelos de Doritos espalhados pelo lençol, me dou conta de que esse tempo todo estava tentando superá-lo do jeito errado. Tenho certeza de que todas as primeiras vezes que vivi com Henrique sempre vão fazer parte de mim de alguma forma. As lembranças vão estar sempre ali e, mesmo se eu vivesse em uma realidade futurista com corporações capazes de apagar memórias, eu não iria querer esquecer o que aconteceu.

Nós somos jovens e começamos a namorar cedo. A gente não tinha ideia de como era a vida adulta – honestamente, até hoje não sei. Acho que estou longe de descobrir. Mas estar com Henrique me mudou como pessoa. E aprendi muito, mesmo com as brigas, a angústia do término, as tentativas de esquecer meu ex usando qualquer cara chamado Pedro, ou Thiago, ou Matheus, que apareciam aqui em casa sem compromisso e iam embora no meio da noite.

E eu gosto de quem me tornei. Gosto da pessoa que sou hoje.

É claro que tem dias e dias. Hoje, por exemplo, não estou gostando *tanto assim* de mim. Mas no geral eu gosto. No geral, vou seguindo em frente. Meditando ou cozinhando ou saindo com meus amigos sem ter hora pra voltar. E sinto que no Tetris da minha vida (é a última vez, juro) está tudo tão encaixado que trazer o Henrique de volta seria meio caótico.

Existem alguns tipos de caos que são bons. Que mexem com a nossa rotina e viram tudo de cabeça pra baixo. Henrique é um pouco esse tipo de caos. Mas agora, pra ser sincero, eu gosto de como tudo está bem organizado. Tranquilo, em paz, bem. E é bom estar bem enquanto não dá pra estar ótimo.

Apesar dos olhos cansados e do sono tomando conta de mim, reúno o restinho de coragem que ainda tenho. A mesma coragem que tive para colocar este *e-mail* gigante pra fora é a que me faz deletar tudo.

Tento ser calmo, gentil e assertivo enquanto digito as *minhas* sete frases em resposta a ele. Sete frases que resumem tudo o que demorei esse tempo todo pra concluir. Releio a resposta algumas vezes e coloco uma vírgula ou outra onde precisa. Minhas mãos não estão mais tremendo e minhas dúvidas sumiram por um instante.

Com muito orgulho de mim mesmo, clico no botão de enviar.

DANÇA COMIGO?

OLÍVIA PILAR

– Você ouviu isso, Carlos?

Minha mãe perguntou aquilo com indignação enquanto olhava de mim para meu pai, ou melhor, para a careca do meu pai, já que todo o seu rosto estava escondido atrás do jornal que ele sempre lia pela manhã. As brigas diárias entre minha mãe e eu já eram comuns na nossa pequena família de três pessoas, então acho que de vez em quando ele apenas se desligava do que acontecia ao redor. Definitivamente, ele não tinha ouvido o que contei.

Eu costumava dizer que nossa família era a propaganda perfeita de margarina, só que com pretinhos. Agora não mais.

– Hum? – resmungou meu pai, ainda sem tirar o jornal da frente do rosto.

– Você ouviu o que a Júlia acabou de me contar? – insistiu minha mãe, deixando de lado a colher com que comia uma fatia do mamão.

Alguns segundos se passaram até ele finalmente sentir que o clima estava pesado. Abaixou o jornal, seus olhos carinhosos passaram de mim para minha mãe e uma pequena ruga se formou na sua testa.

– O que foi, Judith? – ele perguntou com toda a calma do mundo, dando um pequeno gole no café.

– Sua filha acabou de nos comunicar que vai faltar uma semana de aula a mais por causa daquela viagem! – respondeu minha mãe com a voz irritada.

– Daquela viagem não, mãe. Por causa *da* viagem! A viagem *da minha vida!*

Minha mãe parecia incapaz de entender que aquela viagem significava tudo o que eu sempre sonhei. Ela reunia tudo o que a criança que vivia dentro de mim queria quando imaginava o futuro, e pelo que eu tinha me esforçado tanto.

– Júlia, deixa de besteira, é só uma viagem... – disse minha mãe, pegando mais um pouco do mamão. Antes de colocá-lo na boca, completou: – Você ainda tem a vida toda para conhecer a África do Sul.

– Você sabe muito bem que não tem nada a ver com a África do Sul – menti.

Ir para a África do Sul nunca seria uma viagem qualquer. Cruzei os braços e senti que havia perdido toda a vontade de comer os ovos mexidos que estavam no prato. Minha mãe tinha conseguido não só me tirar a vontade de comer meu café da manhã preferido como também me deixar nervosa antes das nove horas. Aquela quarta-feira mal tinha começado e eu já queria voltar para a cama. Pelo menos lá eu podia ficar sonhando livremente com a viagem. E com outras coisas também.

– Júlia, você não ia faltar só uma semana? – questionou meu pai enquanto passava a manteiga no pão.

Eu sabia que ele ficaria do meu lado, mas o conhecia o suficiente para imaginar que iria querer saber todos os detalhes antes de se posicionar contra minha mãe. E o meu discurso inteiro já estava pronto, só precisava me acalmar para não perceberem que tinha decorado cada palavra. Também não precisavam saber que eu já tinha essa informação há duas semanas e havia esperado o máximo possível para contar.

– Eu ia, pai, mas a organização achou melhor a gente ficar mais uns dias lá, para podermos conhecer Joanesburgo, e não só participar da competição.

Tomei um gole do suco de laranja, tentando manter o controle da minha respiração.

– E você acha que vai perder muita coisa? – perguntou ele, voltando o olhar para minha mãe.

– Tenho certeza que não – afirmei com a voz mais segura que consegui.

A verdade é que eu não tinha certeza, porém, como não havia tido nada muito importante nos primeiros quinze dias de aula nos últimos três períodos da faculdade, duvidava que no quarto fosse ser diferente. Minha mãe agora sequer olhava para nós dois, mexendo no celular. Ela sabia que tinha perdido a discussão assim que meu pai perguntou sobre a faculdade em vez de, como ela, se indignar com a informação.

– Judith, acho que não tem problema, então... – ele começou a dizer, e minha mãe levantou o olhar, percebendo que ele tinha por fim manifestado a decisão. Voltando-se para mim, completou: – Desde que você prometa que vai pegar todas as anotações quando voltar.

Quando viu que minha mãe tinha concordado com a cabeça e voltado sua atenção para o celular, meu pai me lançou uma piscadinha de olho. Sorri e resolvi que enfim poderia apreciar meus ovos mexidos. Eu não sabia fazer muita coisa na cozinha, mas aquela sem dúvida era a minha especialidade.

– Essa foi a primeira vez que eu consegui controlar de verdade os meus nervos, sabia? – falei, deixando que meu corpo se acomodasse no sofá amarelo da mulher à minha frente.

Ao contrário de mim, que gostava de usar os cabelos soltos e com volume, Flávia, minha psicóloga, usava tranças. Sua pele era escura como a minha e a dos meus pais, e ela deixava os óculos na ponta do nariz, mantendo os olhos atentos em mim. Eu sabia que ela estava analisando todos os meus gestos, minhas expressões e até o tom da minha voz, mas me sentia tão tranquila na sua presença que me esqueci por alguns segundos de que estava em uma sessão de terapia.

— E você se sentiu bem? – perguntou ela, sorrindo.

— Sim, eu adoro meus pais, mas... – Dei um gole rápido no copo de água que estava na mesinha ao lado do sofá. – Mas eles me sufocam, sabe? Tipo, eu gosto do curso de Direito, mas foi tanta pressão para fazer faculdade que nos primeiros meses tudo o que eu queria era fugir daquele lugar e não voltar mais. Sentia que não tinha sido uma escolha *minha*.

— E agora você já está se sentindo melhor com essa escolha?

— Acho que sim... Sei lá, não sei. Eu acho que estou deixando os sentimentos sobre a faculdade para depois.

— Depois do quê?

— Depois que eu voltar de viagem – falei sem esconder a animação na voz, no rosto e em todas as partes do meu corpo.

Eu sempre via pessoas na internet falando sobre a sensação de que visitar o continente africano era retornar para casa. Nunca achei que sentiria o mesmo, mas era exatamente assim que minha cabeça e meu coração estavam enxergando aquela viagem. E tudo graças a uma competição mundial de dança que uma famosa escola particular realizava todo ano.

— E você acredita que a viagem vai mudar algumas coisas que você está sentindo?

— Acho que sim... – respondi, meio sem jeito e sem tanta certeza.

No fundo, eu sabia que a viagem não era só a realização de um sonho: também significava alguns dias longe dos meus pais, do meu estágio, das minhas amigas (que eram ótimas, porém sempre queriam fazer as mesmas coisas, como ir a festas tarde da noite, quando tudo o que eu queria era ficar assistindo a uma série). E uma oportunidade de ficar mais perto *dela*. Lógico que

Joanesburgo não iria decidir nada para mim, mas podia ser um divisor de águas.

– E por que você acha que sim?

– Eu acho que vou ter tempo de ser eu mesma, sabe? A dança é onde me encontro e, longe da minha rotina, vou poder ser *apenas eu*.

Quis completar com um "pela primeira vez", mas seria parcialmente mentira. Eu tinha sido "apenas eu" em outro momento da minha vida, e era esse momento que desde então não saía dos meus pensamentos.

– Você acha que só essa viagem pode te proporcionar isso?

– Acho que não, mas acho que vou conseguir ser mais livre lá – falei, ainda recordando o momento em que jurava que a pessoa que invadia meus pensamentos tinha olhado para os meus lábios.

– E quem sabe trazer essa liberdade para cá, certo?

– Isso – concordei, sorrindo.

– Esse sorriso é por pensar na Dalila? – perguntou Flávia, sem deixar passar despercebido a provável expressão de boba em meu rosto.

– Talvez – respondi sem jeito.

Eu ainda não tinha conseguido dizer em palavras como me sentia de verdade sobre Dalila, então eu não tinha a menor ideia se essa viagem seria tão definidora para mim nesse sentido. Mas, mesmo se não acontecesse nada entre nós duas, eu finalmente conseguiria pelo menos entender *o que* eu sentia em relação àquela garota.

A primeira vez que comecei a perceber algo diferente foi quando Dalila e eu conversamos sobre o que faríamos se ganhássemos na loteria. Ela era minha colega no grupo de dança havia seis meses e, apesar de termos nos aproximado rápido, nossos encontros se resumiam às quatro horas semanais dos ensaios.

Não é como se eu soubesse muita coisa da vida dela e ela da minha, mas naquela conversa nós descobrimos tantas particularidades em comum que alguma mudança aconteceu em mim.

Também nessa conversa eu senti que, com ela, conseguia ser eu mesma: boba, sonhadora e ambiciosa. Era como se entre minhas amigas eu não pudesse ser essa pessoa, porque todas elas tinham problemas e sonhos maiores. Mas com Dalila não era assim. Com ela, tudo era leve.

Lembro de como nós duas ríamos enquanto a aula não começava e como toda pessoa do grupo que se aproximava ficava um pouco perdida no nosso assunto. Todo mundo dizia que éramos uma dupla inseparável, e isso era perceptível até na nossa sincronia durante as coreografias. Dalila tinha se tornado uma amiga importante, eu só não sabia como aquele sentimento de amizade parecia ter se desenvolvido para algo a mais.

— No que está pensando? – ouvi a voz de Dalila enquanto se sentava ao meu lado.

A aula estava marcada para dali a trinta minutos, mas eu sempre chegava mais cedo porque gostava do silêncio da escola de dança enquanto todos estavam em seus horários de almoço. Minha casa ficava ao lado de uma escola do ensino fundamental e a janela do meu quarto dava diretamente para a quadra, então momentos de silêncio só aconteciam à noite ou nos fins de semana.

— Em como seu cabelo cresceu – falei ao reparar que ela estava sem boné, um acessório que era quase como seu uniforme.

— Sério que estava pensando isso? Você nem olhou pra mim! – Dalila soltou uma risada e eu a segui.

— Não, mas minha observação continua a mesma. Nem parece que há uns três meses você raspou tudo.

Quando ela entrou no grupo, o que mais me chamou atenção foi o seu cabelo extremamente volumoso, pretinho e que formava um *black power* gigante. Eu mal conseguia disfarçar minha admiração, e foi isso que acabou nos aproximando.

Dalila, percebendo o quanto eu olhava para sua cabeça, puxou assunto dizendo que quatro anos antes tinha parado de utilizar produtos alisadores e que só tinha cortado o cabelo uma vez depois disso. Desde então, ele só crescera, e agora já dava até para ver um pequeno topete se formando.

Eu costumava dizer que era o cabelo de Dalila que fazia com que todo mundo a olhasse, mas aos poucos fui percebendo que estava enganada. Dalila era agitada, falante e não deixava ninguém ficar calado perto dela, sempre convidando todos para participarem de suas conversas. Se ninguém estivesse conversando, ela iniciava um assunto. Era engraçado que nós tivéssemos ficado amigas tão rápido, porque eu era o oposto disso com toda e qualquer pessoa da minha vida. Menos com ela. Dalila me deixava tranquila para ser qualquer pessoa que eu quisesse ser.

– Ainda não sei o que deu na minha cabeça quando resolvi raspar – comentou ela, ainda rindo.

– Eu achei que ficou legal – respondi com um sorriso sincero. Me lembrei de quando ela tinha chegado na aula de cabeça raspada. – Só fiquei chocada mesmo porque achei que você era completamente fissurada no seu *black power*.

– Eu era! E é por isso que não faço ideia do que deu em mim – respondeu ela, dando de ombros.

– Você falou que às vezes mudar é bom – recordei, dando risada, já imaginando o que vinha pela frente.

– Eu falei isso? – perguntou com uma falsa expressão de choque. – Bom, então eu devia estar certa – completou como se estivesse falando a coisa mais séria do mundo, então soltamos gargalhadas juntas.

Dalila era linda. Tinha dentes muito brancos que contrastavam com a pele escura como a minha, uma boca grande de lábios grossos, sobrancelhas arqueadas e olhos cor de mel. Disso tudo eu sabia desde o começo, mas em geral não era só o físico da pessoa que me atraía, e sim sua personalidade, a forma como se comunicava, o jeito como tratava os outros e o som de sua risada. Eu podia até achar a pessoa bonita, mas, se na convivência percebesse que ela não era tão legal, aquela atração logo desaparecia, mesmo que todo mundo jurasse de pé junto que a pessoa era perfeita.

Com Dalila, esse processo aconteceu aos poucos. Às vezes, ela lançava piscadinhas marotas quando eu acertava um passo e meu coração acelerava. Quando ouvia sua risada ao longe, enquanto ela conversava com alguém, eu sorria junto. Cada pequeno gesto de Dalila ativava reações no meu corpo que eu nem sabia que eram possíveis.

– Animada para a viagem? – perguntou ela.

Dalila e eu tínhamos ficado extasiadas quando a professora chegou com a notícia de que nossa escola tinha passado na seletiva e estava classificada para a competição mundial de dança urbana ou, como era popularmente conhecida, dança de rua. Enquanto todas as outras turmas da escola ficavam animadas para as viagens aos Estados Unidos ou para a Europa, nosso grupo não via a hora de sair os resultados da competição em Joanesburgo, um campeonato com poucos anos de existência, mas que vinha se tornando cada vez mais relevante para a nossa categoria.

– Acho que não existem formas suficientes de expressar minha animação – respondi, e ela concordou.

– Meus pais não aguentam mais me ouvir falar dessa viagem. Ontem eles assumiram que não veem a hora de sábado chegar para terem um pouco de paz – contou ela.

Se não estivesse brigando tanto com minha mãe – um conflito que começou quando me assumi bissexual e que, como nada ficou 100% resolvido, depois estourava por qualquer coisinha mínima –, tinha certeza de que ela estaria falando a mesma coisa, só que por dentro já estaria com saudade da minha presença constante em casa. Eu nunca havia ficado tanto tempo longe dos meus pais, e Flávia já tinha conversado comigo sobre como essa viagem talvez estivesse influenciando nosso relacionamento. Não é como se eu fosse passar anos fora, mas, para quem estava acostumado a conviver 24 horas por dia, todo dia, duas semanas pareciam muito.

– Mas você não está morrendo de ansiedade? Porque eu não tô me aguentando mais – falei, suspirando. – Sei lá, só queria que chegasse logo.

– Tô vendo que você está ansiosa – disse ela, apontando para a minha mão direita, que estava enrolando um cacho perto da nuca. – Você sempre faz isso quando tá assim.

Eu me forcei a parar de mexer no cachinho, mas não pude deixar de notar que ela tinha reparado em algo em mim, assim como eu tinha notado várias coisas nela – a forma que sempre estralava os dedos da mão esquerda antes de tentar um passo novo, por exemplo –, mesmo nunca tendo dito em voz alta. Senti meu coração dar um pequeno pulo. *Ai, como eu era boba.*

– Nem percebi. – Dei de ombros. – Mas, falando sério, você não está com a ansiedade nas alturas?

– Um pouco. – Então completou: – O que já é muito para os meus padrões. – Eu concordei. Dalila era a única do grupo que não parecia prestes a chorar ou gritar antes de uma competição. – Sendo sincera, acho que a única coisa que me deixa um pouco ansiosa é saber que estaremos do outro lado do mundo, em um lugar novo onde ninguém nos conhece.

Me senti compreendida ao ouvir aquelas palavras tão parecidas com as que eu havia dito à Flávia. Essa viagem não seria só nossa primeira competição internacional como também a primeira vez que ficaríamos longe de casa e da comodidade das nossas vidas, já que a etapa classificatória tinha sido em nossa cidade. Também era a primeira vez que eu iria conviver com a Dalila em uma situação diferente do grupo de dança.

– Sabe, Júlia, acho que essa viagem vai ser incrível e vai nos trazer experiências inesquecíveis. E acho que vamos voltar diferentes. – Ela deu um tapinha na minha coxa, se levantando para alongar. – Ou pelo menos eu espero que sim.

Minha cabeça girou pelo turbilhão de sentimentos causados pelo simples contato da sua mão na minha coxa e por aquelas palavras.

Cheguei como um furacão na terapia, mal esperando Flávia perguntar como eu estava e já despejando meus sentimentos em cima dela. Meu último encontro com Dalila tinha acontecido no dia anterior, e dali a dois dias eu iria embarcar para uma viagem inesquecível – para usar as próprias palavras da garota. Porém, não tinha sido exatamente a viagem que havia consumido meus pensamentos antes de dormir.

– Como a gente sabe que está apaixonada? – disparei assim que me sentei no sofá amarelo.

– O quê? – O semblante de Flávia foi tomado por uma expressão surpresa, talvez por esse não ser um tópico que eu já tivesse levantado em nossas conversas. – Bom, vou até pegar mais água – ela disse num tom descontraído, que me trouxe leveza e um sorriso. Levantou e encheu o copo de vidro que sempre deixava ao lado da sua poltrona.

– É, que, tipo... Eu não sei como essas coisas funcionam.

– Júlia, não existe uma fórmula.

– Eu sei – respondi, suspirando – Só queria que tivesse um manual. Alguma coisa que falasse "se você está sentindo isso e aquilo, está apaixonada". Sei lá... Pra mim é tudo muito estranho.

– Por que é estranho? – perguntou ela com aquele tom de voz de terapeuta que ela deixava vir à tona de vez em quando.

– Porque é a primeira vez que sinto essas coisas – falei com sinceridade.

– Fala mais, Júlia. O que está te incomodando?

– Eu não sei – respondi, tentando repassar mentalmente os últimos seis meses – Quando vejo a Dalila, meu coração bate mais rápido e parece que quer sair pela boca. Quando ela fala qualquer coisa, eu quero parar tudo o que estou fazendo para ir escutá-la. Quando ela solta uma risada, sinto vontade de ter um jeito de colocar a risada dela num potinho só pra poder ouvir quando eu quiser...

Falei rápido, soltando todas as informações que tinha feito questão de ocultar até de mim mesma sobre meus sentimentos por Dalila. Enquanto eu ia listando tudo o que estar na presença dela me causava, fui percebendo também o que me incomodava. No fundo, não era sobre eu estar sentindo tudo aquilo pela primeira vez. Não era sobre o desconhecido, sobre não saber como nomear aqueles sentimentos. Não era sobre mim, era sobre ela.

– Eu acho que tenho medo de ela não sentir o mesmo... – revelei depois de alguns segundos em silêncio.

– Isso seria um grande problema? – perguntou Flávia, me tirando dos meus pensamentos.

– Acho que sim, né? Todo mundo diz que é péssimo gostar de alguém que não gosta de você – respondi, insegura.

A verdade é que eu não sabia. Não ter me apaixonado em 19 anos de vida vinha com a vantagem de não saber o que era ouvir um não. Nunca houve esse momento na minha vida. Eu tinha beijado algumas pessoas, entre homens e mulheres, mas nunca tinha sido eu a tomar a atitude.

– Eu não acho que você precisa se preocupar com isso.

– Agora?

– Nunca – disse ela com um sorriso nos lábios. – Júlia, você não acha que estão aparecendo muitas novas experiências na sua vida?

– Acho – respondi, pensando primeiro na viagem.

– E se você apenas as vivesse? – perguntou Flávia com um tom calmo e incentivador.

Refleti sobre a sugestão dela. Viver algo sem pensar mil vezes antes não era bem uma característica minha. Todas as minhas escolhas tinham os passos estrategicamente calculados na minha mente. Até mesmo o vestibular, que eu fiz sob muita pressão familiar, tinha sido fruto de horas refletindo sobre minhas escolhas.

– Só quero que você saiba que primeiras vezes são importantes. Algumas são positivas, outras são negativas. Algumas nos marcam, outras servem apenas como rito de passagem, outras não farão mais parte da nossa memória daqui a três meses – observou ela com um tom carinhoso. – Tudo o que podemos fazer é vivê-las ao máximo.

Saí do consultório me sentindo mais leve. Não é como se eu tivesse soluções, porém o fato de ter conseguido organizar o que eu sentia tinha me ajudado a perceber que nem tudo precisava ser tão calculado.

A ficha ainda não tinha caído quando acordamos de madrugada e fomos para o aeroporto, que pareceu muito mais longe do que quando fiz qualquer viagem nacional, e também não tinha caído quando despachei a mala e sequer reparei que várias outras colegas do grupo estavam ali na fila. Só quando meus pais me abraçaram apertado, me desejaram boa viagem e juízo, só quando entrei na sala de embarque foi que realmente percebi o que estava acontecendo: minha primeira viagem internacional, a primeira vez que eu botaria meus pezinhos no continente africano, a primeira vez que ficaria tantos dias longe de casa e a primeira vez que encontraria com Dalila fora do ambiente da escola de dança.

Como uma pessoa que sempre pensava demais, eu tinha a tendência de quase nunca aproveitar as coisas boas quando elas estavam acontecendo e de só me permitir relaxar quando a certeza se concretizava. Era essa uma das minhas grandes questões tratadas na terapia e foi por isso que só consegui respirar fundo e começar a relaxar quando percebi que todo o grupo estava reunido na sala de embarque, inclusive Dalila, que tinha chegado no último minuto, quase me matando de ansiedade.

– Sentiu minha falta? – perguntou a garota com um sorriso travesso no rosto, se aproximando e sentando na cadeira vazia ao meu lado.

– Eu estava a ponto de explodir e ir te buscar em casa– respondi, falhando miseravelmente na minha missão de não mostrar o quanto tinha ficado nervosa.

– Ai, ai, Júlia, você tem que relaxar, viu? – disse ela, me lançando uma piscadinha e recostando na cadeira com uma postura relaxada. – Olha só, estamos todas aqui. Deu tudo certo! Agora só faltam mais mil horas até a gente chegar em Joanesburgo, nem vai demorar tanto.

Estávamos na sala de embarque do aeroporto de Belo Horizonte, o que significava que ainda faltava pegar o voo para São Paulo e, só então, pegar o voo para Joanesburgo. Não era por acaso que eu tinha baixado todos os episódios da segunda temporada de uma série em que estava viciada e também separado um bom livro para a viagem.

Eram muitas horas pela frente, mas acho que nem estava me importando muito porque, quando percebi, Dalila havia apoiado o queixo no meu ombro, tentando assistir comigo a um episódio que rodava na pequena tela do meu celular. Eu nem sabia que ela assistia àquela série, e um calorzinho surgiu no meu corpo – além do arrepio que me percorreu pelo contato tão próximo – quando percebi que tínhamos mais uma coisa em comum.

Depois da pequena maratona que fizemos até chegar ao último voo para Joanesburgo, não demorou muito para que eu adormecesse, assim como minha vizinha de poltrona. Se no primeiro voo eu tinha dividido a fileira com a professora e outra colega, neste Dalila e eu tínhamos ficado juntas na fileira do canto, em que havia apenas duas poltronas. Eu na janela, ela no corredor.

Parecia ser o meio da madrugada quando acordei sentindo um peso no ombro esquerdo. Demorou um pouco para que minha cabeça se acostumasse com o que meus olhos estavam vendo e que eu lembrasse onde estava, então percebi que o peso no meu ombro tinha nome: Dalila. Ela adormecera e sua cabeça estava apoiada em mim. Senti um pequeno sorriso nascer no meu rosto quando percebi o quanto estávamos próximas naquele momento. Tive vontade de levar minha mão livre até seu rosto e acariciá-lo de leve. Me contive, sabendo que aquele gesto poderia ser invasivo.

O problema de ter acordado e deparado com aquela cena foi não conseguir voltar a dormir. Decidi pegar meu celular, que estava na poltrona junto às minhas pernas, fazendo o mínimo possível de movimento para não acordá-la, e assistir a um episódio no mudo, já que o fone de ouvido estava guardado na minha mochila.

– Perdeu o sono? – ouvi Dalila perguntar enquanto levava as mãos ao rosto para tampar um bocejo e se ajeitava na poltrona. No mesmo segundo, senti falta do seu corpo junto ao meu.

– Um pouco – respondi, sem demonstrar que tinha reparado onde sua cabeça estava pouco antes. – Ia assistir a uma série...

– Posso ver com você? – Ela tinha um sorriso nos lábios.

– Claro! – concordei. Sendo sincera, naquele momento ela poderia me pedir o mundo e eu tentaria trazê-lo.

Aproveitei que ela tinha acordado e peguei o fone na mochila, dando o lado esquerdo para ela. Começamos a ver a série, uma daquelas produções norte-americanas sobre os bastidores sujos de um governo. A cada cena surpreendente, sentia que ela queria comentar algo comigo, mas, como estávamos tentando não demonstrar nenhuma reação que pudesse atrapalhar o sono dos outros passageiros, ela parecia se conter, enquanto eu também me remoía.

– Olha issooo – ela deixou escapar num tom até normal, que, no entanto, soava alto considerando que todos estavam dormindo.

Soltei uma risada baixa e fiz um "shhh", levando meu dedo indicador aos lábios. Dalila bufou contrariada, rindo em seguida. Nós continuamos assistindo à série e, quando o episódio chegou ao fim, nós duas ficamos jogadas na poltrona, sem acreditar no que tinha acontecido e incomodadas por não poder comentar nossas teorias uma com a outra. Foi então que Dalila teve uma ideia genial: tirou o próprio celular da mochila, desbloqueou a tela e começou a digitar. Em seguida, mostrou a tela para mim: ela tinha aberto o bloco de notas.

"Quantos episódios você baixou no aplicativo?", estava escrito.

Soltei uma risada e levei a mão rápido à boca para abafar o som. Cheguei perto de Dalila e falei "a temporada toda" num tom de voz tão baixo que eu sabia que só ela conseguiria ouvir. Voltei para a posição anterior e vi um sorriso estampado em seu rosto. Ela fez um joinha com uma das mãos e se acomodou mais perto de mim. Vi que tinha voltado sua atenção para a tela do meu celular e dei *play* no próximo episódio.

Enquanto a história se desenrolava, percebi que Dalila se aproximava cada vez mais de mim. Em algum momento entre as cenas, quando alguém era baleado e um traidor era desmascarado, sua cabeça voltou a repousar no meu ombro e fiquei tensa. Desta vez, eu sabia que ela não estava adormecendo, porque segundos depois vi que ela digitava no celular, e em seguida me mostrou a tela.

"Tem problema?"

Estiquei minha mão livre em um pedido silencioso pelo celular. Dalila atendeu prontamente e eu digitei com a pouca coordenação que tinha com o movimento de um dos braços restrito. Depois de alguns momentos, consegui finalizar a frase e devolvi o celular.

"Nenhum... fica quentinho hahaha"

Eu tinha refletido sobre o que podia escrever que não escancarasse o tanto que eu estava gostando daquela proximidade, então aproveitei o frio do avião como desculpa. Vi que ela tinha voltado a digitar e percebi que talvez o episódio acabasse ficando de lado.

"Hahaha digo o mesmo. Desculpa ter feito antes sem pedir."

Achei que Dalila não iria admitir que tinha dormido encostada em mim, porque isso costumava ser um ato *vergonhoso* sobre o qual as pessoas não costumam comentar, mas ela não parecia ser o tipo de pessoa que ignorava as coisas por vergonha.

"Ficou quentinho antes também, então sem problema... pode fazer sempre", digitei e mordi o lábio, apreensiva.

Será que aquilo era um flerte? Eu achava que sim e tinha feito de propósito. Só não sabia qual seria sua reação. Será que ela iria ignorar e dormir? Será que continuaria a conversa? Será que rejeitaria minha iniciativa? Será que flertaria de volta? Seja lá qual fosse sua resposta, todas as alternativas me deixavam nervosa. Naquele momento, comecei a me achar uma tola por não ter aproveitado a adolescência para aprender a flertar. Ela me entregou o celular de volta.

"Olha que eu não costumo deixar de aproveitar essas oportunidades, hein?"

Aquilo era bom, não era? Eu havia tido poucas interações nesse sentido, então tudo sempre me parecia duvidoso. Contudo, não dava para negar que aquela resposta tinha sido uma boa reação ao meu flerte. Senti meu coração bater um pouco mais acelerado e fiquei com medo de que ela pudesse ouvi-lo por estar tão próxima a mim.

"Mal posso esperar", digitei em resposta.

Após ler minha mensagem, Dalila se aproximou ainda mais de mim, algo que sequer parecia possível. Por alguns segundos tive vontade de levantar o braço da poltrona que nos separava, mas achei que seria demais. Era a primeira vez que falávamos abertamente, ou quase, sobre a possibilidade de existir algum interesse entre nós duas, por isso resolvi que ir devagar era a melhor opção.

"Sono voltando...", li no texto que ela tinha acabado de digitar e fiz um joinha com minha mão livre, indicando que eu sentia o mesmo. O que era bom porque, de acordo com a televisão da poltrona à nossa frente, ainda faltavam cinco horas de viagem. Fechei o aplicativo no celular e o guardei junto com o fone de ouvido na minha mochila, e vi Dalila fazer o mesmo. Por uns segundos achei que ela não voltaria a se apoiar em mim, mas fiquei aliviada quando acomodou a cabeça no meu ombro.

– Boa noite, Júlia – disse ela baixinho e eu sorri, lembrando que no início da viagem tínhamos adormecido tão rápido que mal nos despedimos.

– Boa noite, Dalila – respondi no mesmo tom e me ajeitei na poltrona.

Senti de novo aquela vontade de acariciar seu rosto, mas deixei para lá, aproveitando que aquela conversa surpreendentemente espontânea tinha terminado de um jeito bom que deixou meu coração tão quentinho quanto meu ombro. Talvez só aproveitar as situações sem planejar cada passo não fosse tão ruim nem tão difícil assim.

Acordamos com os carrinhos do serviço de bordo passando entre os corredores para oferecer um café da manhã básico. Percebi o quanto estava com fome quando minha comida acabou e a de Dalila, que aparentemente acordava bonita tal qual um anjo, ainda estava na bandeja. Ela me ofereceu um biscoito e aceitei, mesmo lembrando de que iríamos tomar café no hotel.

Um pouco depois, pousamos no continente africano e, após passarmos pela interminável burocracia necessária para entrar em outro país, enfim entramos na van que nos conduziria ao hotel.

Sempre gostei muito dessa parte de uma viagem – seja para onde for e, no meu caso, a lembrança era das viagens de férias com meus pais –, quando a gente pisa no aeroporto em uma nova cidade e já começa a ter contato com a cultural local, com as pessoas, com a paisagem. Na van, percebi que não era um sentimento só meu quando todo mundo começou a se aproximar das janelas para tentar ver o máximo que podia da cidade. Eu tinha lido muito sobre Joanesburgo e sabia que era um grande polo industrial e cultural do país. Naquele curto trajeto do aeroporto ao hotel já pude perceber a magnitude que emanava dali.

Na recepção do hotel havia uma bandeira da África do Sul e da cidade, e então a ficha caiu de que eu não estava mais em terras brasileiras nem no mesmo continente. Meu coração bateu acelerado: eu estava na África. Por alguns segundos, senti que iria chorar. Era como se estar ali me trouxesse uma paz que nenhum outro lugar conseguiu trazer. Aquele lugar tinha cheiro de casa, de afeto, de saudade, mas também de tristeza por saber que tudo poderia ter sido diferente.

– Tá pensativa? – perguntou Dalila, me tirando de dentro da minha cabeça.

Enquanto todo mundo se debatia na frente da professora para pegar seus cartões de acesso aos quartos, eu ainda estava fitando as bandeiras. Tentei afastar um pouco a emoção do momento e voltei minha atenção para Dalila. Ela usava um boné rosa com um arco-íris no centro, sua roupa estava amassada, e dava para ver sua expressão de sono. Ela continuava linda.

– Um pouco emotiva, eu diria – respondi, sorrindo, e a vi concordar.

– Fiquei assim quando a gente desceu no aeroporto. Dá uma coisinha no coração.

Dalila parecia entender bem o que eu estava sentindo. Era um misto de sentimentos difícil de pôr para fora. Ela colocou a mão no meu ombro, deu uma apertada de leve, e eu sorri com o gesto de carinho. Não ficamos muito mais tempo ali, porque logo a professora acabou de distribuir as chaves – descobri que Dalila já tinha pegado as nossas –, depois partimos para tomar café antes de subir ao quarto e nos arrumarmos para o passeio pela cidade.

O hotel não era cinco estrelas, mas tinha estrelas suficientes para me fazer suspirar quando entrei no quarto e deparei com uma grande varanda. As portas de vidro estavam fechadas, mas não demorei para abri-las e uma rajada de vento invadiu o espaço. O hotel era bem alto, por isso dava para ver da varanda boa parte da cidade. Era linda, mesmo que para alguns pudesse parecer só mais uma metrópole. Eu nem tinha saído para conhecer Joanesburgo e já havia feito uma anotação mental de que precisaria voltar no ano que vem.

– Uau, é lindo – comentou Dalila depois de sair do banho e perceber que eu ainda estava olhando a paisagem.

O cheiro do seu sabonete invadiu os meus sentidos assim que ela ficou do meu lado no parapeito da varanda. Dalila parecia relaxada e seu rosto estava bem mais tranquilo do que alguns minutos antes. Eu havia ficado tão impressionada com o lugar que me esquecera completamente de que nós duas dividiríamos um quarto pelos próximos dias. O nervosismo pareceu voltar todo de uma só vez, e resolvi tentar ignorar os sentimentos que estavam tomando conta: não era hora de deixar a ansiedade voltar.

– Também achei. Esta cidade parece incrível, né? – perguntei, olhando de relance para Dalila. Os raios do sol batiam no seu rosto e ela ficava ainda mais bonita assim. – É realmente linda – completei, olhando muito mais para a garota ao meu lado do que para a paisagem à nossa frente.

Assim que seus olhos se desviaram da paisagem e se voltaram para mim, peguei o celular para disfarçar e aproveitei para tirar uma foto daquela vista perfeita e enviar para os meus pais usando a internet do hotel.

Após um rápido passeio pela cidade – que eu achei curto demais, mas Dalila me lembrou que o verdadeiro passeio viria depois da competição –, paramos em um restaurante para almoçar e seguimos direto para o ginásio onde aconteceria a competição. Era a tarde em que todos os grupos fariam o reconhecimento do espaço e um ensaio de no máximo meia hora para entender as dimensões na prática.

– Pessoal, vocês podem dar uma volta e analisar as outras equipes, mas com respeito, ok? Nos reunimos aqui em meia hora – avisou a professora.

Nosso grupo grande se dividiu em grupos menores para conhecer o espaço e as outras equipes. Permaneci parada, observando o quanto aquele lugar estava lotado. Era um ginásio gigante, e mesmo assim cada cantinho estava abarrotado de pessoas que tinham vindo de todos os cantos do planeta. Eu sabia que as danças urbanas eram populares, mas aquilo era inacreditável. Eram as maiores escolas de dança do mundo e nós estávamos entre elas. Completamente surreal.

– Vamos dar uma voltinha? – convidou Dalila, e eu concordei.

– Não é meio bizarro pensar que nós, uma escola pequena de Belo Horizonte, estamos em uma competição mundial? – falei, enquanto andávamos no meio das outras pessoas que também faziam o reconhecimento do ginásio.

– Eu sempre acho engraçado quando você fala que nossa escola é pequena – respondeu ela. – Sei lá, eu aprendi tudo o que sei sozinha e dançava com as pessoas do bairro. Quando entrei no grupo... foi um mundo totalmente diferente.

Minha história com a dança sempre tinha sido muito institucional: do balé por oito anos para o jazz por mais alguns e daí para as danças urbanas, tudo pulando de uma escola de dança para outra. Mas eu sabia que com Dalila tinha sido diferente.

Ela não fez aula de balé nem de jazz, e tinha entrado no grupo seis meses antes, depois de uma seletiva. O que eu achava mais legal nisso tudo é que ela era uma das nossas melhores dançarinas, melhor do que muita gente que estava na escola havia anos. Sempre achei que a escola fosse só uma forma de Dalila participar de competições e conhecer outras pessoas, porque o que era ensinado lá ela já sabia de cor.

– Você tem razão. Mas tá vendo aquele grupo ali? – Apontei para um número grande de pessoas mais ao canto do ginásio, todos brancos e loiros, o que destoava bastante da nossa escola.

– É uma das maiores escolas da Europa, olha o nome da jaqueta deles. Eles têm filiais em umas vinte cidades diferentes. Por isso que acho nossa escola pequena.

– Por essa perspectiva, nossa escola é mesmo minúscula – concordou ela, e eu comecei a rir.

Nós continuamos a caminhar entre os grupos, sempre tentando encontrar algum símbolo que nos falasse de onde aquelas pessoas vinham. Tinha gente dos Estados Unidos, de Portugal, da Alemanha, da Espanha, da Colômbia, da Argentina, de Angola, de Moçambique e de vários outros países que Dalila e eu não conseguimos reconhecer pelos nomes das escolas. Era muita gente. Apesar disso, toda a ansiedade pela estreia – que aconteceria em dois dias e que estava no meu pensamento desde o instante em que pisamos naquele lugar – surpreendentemente tinha começado a diminuir.

Percebi que só o fato de ter chegado ali já era algo significativo o suficiente para que eu conseguisse aproveitar o momento de verdade. E o momento me dizia que Dalila estava olhando por tempo demais para o meu rosto. Tanto tempo que me virei para ela e a vi ficar com vergonha de ter sido flagrada. Soltei uma risadinha e, quando percebi que ela fez o mesmo, fiquei aliviada com a relação que estávamos desenvolvendo.

Sem cobranças e sem pressa.

O dia anterior tinha sido tão cansativo que apenas me lembro de a gente voltando do ginásio e caindo na cama depois de tomar banho e jantar. Acordei com o barulho do chuveiro, mas só consegui ligar os pontos quando vi que a cama de Dalila estava vazia. Eu sempre acordava meio lenta, e a sensação ficou ainda mais intensa depois de uma viagem de tantas horas, então foi preciso que minha mente conectasse o que estava vendo às minhas lembranças recentes. Fiz minha rotina de alongamento, sabendo que na parte da manhã ensaiaríamos todas as coreografias e que meu corpo precisaria ser estimulado.

— Está preparada para hoje? — Dalila saiu do banho já vestida com nosso uniforme.

Nós não costumávamos usar roupas personalizadas para ensaiar, porém, como se tratava de uma competição mundial, a escola tinha preparado um modelo para ensaios e duas peças para as apresentações. Para o treinamento, usaríamos uma roupa mais larga em tons de vermelho e preto. Para as apresentações, a escola preparou um modelo em que o amarelo era mais presente e outro em que o preto sobressaía mais.

Particularmente, eu não via a hora de estrear o modelo com muito amarelo. Quem disse que amarelo era a nossa cor estava certíssimo.

— Estou, e muito! Acho que vai ser um ótimo dia!

Terminei de alongar as pernas e peguei a toalha que eu tinha jogado de qualquer jeito sobre uma das poltronas.

— Uau, você tá mesmo animada — comentou Dalila enquanto parava em frente ao espelho de corpo inteiro e testava dois bonés diferentes.

— Estamos na África, sabe? Tem como dar algo errado? — Respondi e vi Dalila concordar. — Gosto mais do colorido — palpitei, apontando para sua mão esquerda, que segurava um boné que parecia ter sido banhado em diversas tintas.

– Sério? Você não acha que é muita informação?

Parei na porta do banheiro e fiquei reparando naquela cena: Dalila já pronta para sair, segurando os bonés e esperando uma resposta minha. A verdade é que eu tinha achado o colorido mais bonito que o outro, que era apenas cinza, mas Dalila ficava linda de qualquer jeito, com ou sem boné, de cabelo volumoso, de cabeça raspada ou com o cabelo crescendo.

– Sendo sincera, eu acho que você fica maravilhosa de qualquer jeito – respondi dando de ombros. A garota abriu um sorriso. – Mas, se for para escolher um dos dois, prefiro o colorido.

– Ora, ora, alguém acordou galanteadora – Dalila me provocou. – Acho que você tem razão.

– Sobre o boné ou sobre você? – perguntei com uma sobrancelha arqueada.

– Sobre tudo – disse ela, me lançando uma piscadinha e voltando a encarar o espelho.

Soltei uma risada e fiquei ainda alguns segundos olhando Dalila antes de entrar no banheiro. Era engraçado pensar que foi só sair do Brasil e da nossa rotina que eu passei a me sentir mais livre para demonstrar algumas coisas para ela, bem como eu tinha imaginado. E Dalila, mesmo sendo sempre extrovertida e brincalhona, também começou a demonstrar seu interesse com mais abertura. Me lembrei de todos os medos que levei para a terapia e em como eu tinha acertado em uma coisa: esta viagem realmente seria um divisor de águas na minha vida.

– Pessoal, bom descanso. Não fiquem pensando na competição, tentem relaxar. Nos encontramos amanhã no saguão do hotel às 10h, ok?

Foi assim que nos despedimos de todo o grupo após o jantar

e subimos ao quarto. O dia tinha sido extremamente cansativo, com nossa rotina intensa de ensaios, mas muito divertido no fim da tarde. Eu não sabia que precisava tanto de uma massagem relaxante até receber uma, providenciada pela organização do evento para todos os participantes. Agora, eu sentia que teria que juntar um dinheirinho do salário do estágio para pagar minha massagem mensal, pois, entre faculdade, estágio e dança, eu com certeza precisava de um momento daquele por mês – no mínimo.

No quarto, Dalila e eu resolvemos deixar a TV num canal infantil e aproveitar para conhecer os desenhos que estavam fazendo a cabeça das crianças por ali. Por um lado me senti mal por não conhecer nenhuma daquelas produções, mas fiquei feliz porque algumas eram diversas e tinham personagens representativos. Vi partes minhas em vários deles e imaginei o quanto isso seria importante para as crianças e adolescentes que cresciam com aquelas imagens.

Depois de um tempo, acho que Dalila ficou entediada e acabou indo para a varanda. Ela era muito elétrica para ficar deitada vendo TV por muito tempo. Enquanto eu ainda me divertia assistindo a algumas coisas, percebi que ela estava parada na porta da varanda me olhando.

– O que foi? – perguntei, fixando minha atenção nela.

– Não sei, só tô te olhando... – respondeu ela com um sorriso tímido.

– Por algum motivo especial? – insisti, desdobrando minhas pernas e sentando na beirada da cama, de frente para ela.

– Nenhum motivo especial, eu só gosto de te olhar. – Sorri com essa frase.

Eu gostava da forma como estávamos sendo sinceras uma com a outra, por nossos diálogos não carregarem nenhum joguinho. Estávamos apenas vivendo aqueles momentos, como eu tinha decidido fazer na viagem. Enquanto ela me olhava e eu a encarava de volta, repassei em minha mente todas as vezes em que eu também tinha parado o que fazia para observar Dalila e me perguntei se esse tempo todo ela andava fazendo o mesmo.

– Desde quando? – questionei depois de alguns minutos.

– O quê? – perguntou ela, parecendo confusa.

– Desde quando você gosta de me olhar? – completei sorrindo.

Ela continuou com a expressão confusa até que pareceu entender o motivo por trás da minha pergunta.

– Tem uns seis meses... – disse ela . Foi minha vez de ficar sem entender. – Eu gosto de te olhar desde o primeiro minuto em que te vi. E quando percebi que você estava obcecada pelo meu cabelo, apenas aproveitei a chance pra me aproximar.

Enquanto ela sorria de forma tímida, deixei que aquelas palavras fossem absorvidas pela minha mente.

– Isso é muito tempo... – respondi, também sorrindo e me levantando.

Percebi que não tinha mais medo de sua rejeição. Entendi que o trajeto para chegar até aquele momento havia sido tão bom que, mesmo que nada acontecesse, tudo o que passei com ela tinha valido a pena.

Caminhei em direção à varanda e fiquei encostada no batente, olhando a cidade iluminada à nossa frente. Nós duas ficamos observando a cidade. Ainda não era tarde da noite e dava para ver o movimento dos carros e das pessoas, mas sabíamos que em poucas horas o silêncio tomaria conta. Eu gostava do silêncio, mas até mesmo o barulho da cidade ficava especial com ela ali.

– Você gosta de dançar? – perguntou ela. – Não as nossas danças, da competição, mas de dançar com outras pessoas.

– Tenho que confessar que não costumo dançar fora da escola... – falei quase em um sussurro, como se ninguém mais pudesse saber do meu segredo.

Dalila fingiu uma expressão de choque e eu soltei uma gargalhada que ela logo acompanhou. Ela tirou o celular do bolso dos *shorts* e pareceu procurar alguma coisa. Quando uma música lenta começou a tocar, percebi suas intenções. Não reconheci a melodia, mas parecia uma música de que ela gostava, porque Dalila logo começou a cantarolar e ergueu a mão na minha direção.

– Você me daria a honra desta dança antes que nossos corpos fiquem doloridos por dias? – perguntou com uma falsa seriedade que me fez sorrir.

Dei minha mão para Dalila, que logo me puxou devagar, passando o braço livre por minha cintura enquanto eu colocava meu braço atrás do seu pescoço. Nós nos mexíamos ao som da melodia e ela cantava baixinho a letra. Era a primeira vez que eu dançava agarradinho, como minha família gostava de chamar. Também finalmente admiti o que sentia havia meses: estava apaixonada. Pela primeira vez. Completamente apaixonada.

Pousei o queixo no ombro de Dalila e fechei os olhos, aproveitando aquele momento o máximo possível. Me lembrei da última vez que tinha encontrado com minha psicóloga e das suas palavras: *Primeiras vezes são importantes, e tudo o que podemos fazer é vivê-las ao máximo.*

O MELHOR DE TODOS

JIM ANOTSU

What happens to a dream deferred?[*]
LANGSTON HUGHES

You're the best, better than all the rest
Better than anyone, anyone I ever met[**]
MIKE CHAPMAN e HOLLY KNIGHT

2 DE NOVEMBRO DE 2008

Meu filho de 10 anos e eu chegamos cedo ao autódromo de Interlagos, ansiosos demais para ficar em casa um minuto a mais do que o necessário. Aquela era a corrida de Fórmula 1 mais esperada pelos brasileiros, o dia da decisão. Felipe Massa,

---

[*] "O que acontece com um sonho adiado?" (N.E.)

[**] "Você é o melhor, melhor que todo o resto / Melhor que qualquer um, qualquer um que já conheci." Versos da canção *The Best* ["O melhor"], que ficou mundialmente conhecida na interpretação de Tina Turner. (N.E.)

com a Ferrari, poderia vencer o campeonato em casa – só precisava ganhar e torcer para que seu rival, o novato estrela, um jovem negro chamado Lewis Hamilton, ficasse em sexto.

Um ponto.

Apenas um ponto de diferença, e o Brasil poderia escutar a música de campeão tocando na Globo. A última vez em que senti uma emoção tão forte foi quando Rubinho Barrichello venceu o GP da Europa em 2002, sua segunda vitória depois de ter sido obrigado a abrir caminho para que Michael Shumacher, apelidado de Dick Vigarista por alguns, o ultrapassasse algumas corridas antes. A primeira vez em sete anos que um brasileiro vencia.

Estávamos no camarote, um espaço coberto onde ficavam os melhores lugares do autódromo e onde cada assento custava uma fortuna – o suficiente para comprar um carro popular, mas eu e Bernardo havíamos ganhado ingressos, porque um dos patrocinadores da corrida era fã das minhas músicas. Eu queria que meu irmão, William, pudesse assistir à corrida com a gente, mas não foi possível naquele dia. Notei que o garoto e eu éramos as únicas pessoas de pele escura no local. O *buffet* era enorme, e Bernardo tomou tanto refrigerante de laranja que aguardei uma explosão em determinado momento. Graças a Deus a mãe dele não estava lá para ver.

No dia anterior, o sábado da qualificação, nós visitamos os boxes e vimos de perto aqueles carros que eu só via pela TV quando criança e que agora meu filho, vestindo as cores vermelhas da Ferrari, sonhava em pilotar – ele já guiava kart desde os 8 anos. Foi a experiência mais incrível de todas, e Bernardo ainda conseguiu ver alguns pilotos passando depressa de um lado para o outro em seus macacões e capacetes coloridos. O menino podia jurar que Felipe Massa havia acenado para ele em determinado momento – eu preferi não debater.

O grande assunto pelo país era o fato de que Massa já poderia ter sido campeão àquela altura, mas, por causa de Nelsinho

Piquet, que bateu o próprio carro de propósito para favorecer Fernando Alonso no GP de Cingapura, o piloto brasileiro da Ferrari teve problemas. Não lamentei muito, mas mantive a opinião privada. Bernardo não entendia por que eu estava usando a camiseta prateada e vermelha da McLaren naquele dia, torcendo para Lewis Hamilton e não para o brasileiro, mas eu tinha meus motivos.

Ergui os olhos para o céu fechado e observei a chuva cair forte em cima dos carros já alinhados no *grid*. Um helicóptero passou sobre nossas cabeças. Por causa da chuva, a largada foi adiada em dez minutos para que as equipes colocassem pneus de chuva e fizessem outros ajustes. Foi só depois de algumas deliberações e uma volta de apresentação que os carros tomaram suas posições definitivas.

As luzes vermelhas nas traseiras dos carros piscavam em uma sinfonia ritmada.

Quatro mil, trezentos e nove metros de Interlagos dali em diante, uma redução de tamanho da pista desde os meus tempos de infância.

Então, as cinco luzes vermelhas se acenderam. O giro dos motores se tornou ensurdecedor e as máquinas saíram em disparada, velozes, implacáveis e belas. Pude ver as rodas do carro vermelho de Massa erguendo água do chão, criando um *spray* para cima daqueles que vinham atrás. Havia começado a última batalha do ano...

Enquanto os carros sumiam na curva do S do Senna, olhei para o alto mais uma vez.

A chuva caía como tinha caído naquele dia, quando eu...

22 DE MARÇO DE 1991

Chutei a bola com força, levantando terra vermelha enlameada e acertando a trave feita de bambus. Logo em seguida, o goleiro segurou a bola com firmeza. Estava começando a anoitecer e o campinho ainda estava cheio: todas as crianças da favela correndo de um lado para o outro atrás daquela bola velha e cheia de fiapos, meio murcha e com um pedaço preso que ficava balançando sem nunca cair. Os cheiros de suor e terra se misturavam enquanto todo mundo fingia ser Romário, Dunga, Taffarel e outros. A Copa de 1990 ainda amargava para nós com 12 ou 13 anos de idade – isso ficava evidente pelo fato de que muitas casas da comunidade ainda estarem pintadas de verde e amarelo ou com enfeites. Mas a gente tinha certeza de que a próxima, em 1994, seria do Brasil.

Só que, naquela semana, até o futebol havia se tornado um assunto secundário. Todo mundo só falava de corrida. A próxima etapa da Fórmula 1 seria em São Paulo e todo mundo queria que Ayrton Senna vencesse no Brasil pela primeira vez. Dava pra sentir isso nas conversas de rua e pelas matérias na TV: parecia haver uma eletricidade no ar que não dava para expressar em palavras. Tito, um dos garotos da região, chegou até mesmo a pintar uma camisa branca para que ficasse parecida com a do Senna. Ficou coisa fina, com os logos da McLaren e até de patrocinadores. Sapiência, o barbeiro, mandou alguém pintar a cara do piloto no muro da sua barbearia; ele sempre assistia a todas as corridas, até mesmo aquelas que aconteciam de madrugada.

Apesar da chuva, o pessoal continuava a jogar, mas eu precisei sair fora porque vi William, meu irmão mais velho, subindo a viela com uma sacola na mão. Fiz um aceno para me despedir do povo e fui encontrar meu irmão no caminho. Ele ainda estava com o seu uniforme do McDonald's, onde havia sido promovido a gerente na semana anterior. William saía de casa cedinho e só voltava tarde da noite, mas ele tinha pedido ao chefe para folgar nos próximos dois dias.

Corri de pés descalços até ele, saltando poças e com um sorriso no rosto, esperando a resposta para a pergunta mais importante de todas.

– E aí – perguntei sem conter a excitação na voz. – Conseguiu o dinheiro?

Ele suspirou fundo e fez uma careta. De imediato imaginei que todos os nossos planos tinham ido por água abaixo, mas então ele deu uma risada e passou o braço pelos meus ombros.

– Recebi o salário hoje, direitinho – disse ele. – Nós vamos ver a corrida no autódromo, moleque.

Bati palmas com uma alegria que nunca havia sentido em toda a minha vida. Nós vínhamos economizando dinheiro havia dois anos para comprar ingressos. Eu tinha catado latinhas, capinado lotes e entregado panfletos de supermercado. Parte do que recebia eu dava para a minha mãe, o resto ia para uma lata vazia de achocolatado que virou cofre – desde que o presidente Collor roubou o dinheiro que as pessoas tinham na poupança, ninguém, nem mesmo um menino de 13 anos, confiava em depositar no banco. William fazia a mesma coisa com o seu dinheiro do McDonald's: ajudava a pagar as contas da casa e guardava o resto em um pote de vidro pra gente comprar os ingressos.

Fui pra casa aos saltos, feito um cabrito.

– Quando a gente pega os ingressos? – perguntei. – Hoje?

William sacudiu a cabeça. Ele era um cara alto e magrelo, cabeçudo e com um bigodinho tão fino e ridículo que todo movimento de cabeça dele parecia desengonçado.

– Amanhã – respondeu meu irmão. – Eu conheço um carinha do trabalho, o Bira, que vai me vender mais barato. Um tio dele ia lá, mas sofreu um acidente e decidiu vender o ingresso pra não ficar no prejuízo. A gente vai ficar no Setor G, no fim da Reta Oposta, cara.

O Setor G era a parte mais barata do autódromo; ainda assim, cada ingresso valia meses de salário de muita gente. Era um espaço descoberto, mas era possível ver os carros alcançando trezentos quilômetros por hora e desacelerando bruscamente para cento e pouco. As torcidas organizadas se acumulavam ali, e eu supunha que seriam todas de Senna. Eu mal podia esperar pra ver as McLaren, Ferrari, Benneton e Williams correndo diante dos meus olhos. Torci para que a chuva desse uma trégua a São Paulo e eu pudesse ter uma boa visão da pista.

Passamos em frente ao Maguila e sua turma pelo caminho. Maguila era uma das figuras mais conhecidas da comunidade, um "parça" de renome que tinha esse apelido por ser muito parecido com o boxeador. Todo mundo na quebrada sabia que ele era traficante, mas ele nunca mexia comigo nem com o William porque os dois foram amigos de infância.

– E aí, parça, vai lá ver os carrinho finalmente? – perguntou Maguila, mostrando o seu sorriso roubado de um dente. – Se precisar de qualquer coisa é só falar, maluco.

William sorriu e trocou um aperto de mão elaborado com Maguila. Quando eles fizeram isso, pude ver uma arma enfiada na bermuda do cara. Ainda que eu soubesse (ou esperasse) que o Maguila não fosse usar aquilo em mim, a visão me causou um frio no estômago. A nossa comunidade era um lugar tranquilo na maior parte do tempo, mas algumas vezes acontecia de Maguila e a turma dele trocarem tiros com a polícia. No ano passado mesmo, alguns garotos e eu precisamos saltar dois corpos no trajeto para a escola, dois meninos da nossa idade que trabalhavam para o Maguila e foram estudar a geologia do cemitério. Logo, eu não gostava muito de ficar perto daquele pessoal. Nos despedimos de Maguila e continuamos o nosso caminho. Já estávamos perto de casa quando dei uma cotovelada de leve no meu irmão e falei:

– Por que você conversa com esse cara? Ele é um bandido. – William me olhou com atenção. – Ele já deve ter matado gente com as próprias mãos.

Meu irmão assentiu com a cabeça.

– Provavelmente – disse ele. – Mas é melhor que ele goste da gente do que o contrário. Nós já fomos amigos um dia, ele nem sempre foi assim, carinha. O Maguila pegou o caminho errado na vida, não teve opções, mas nem *ele* é de todo ruim. Ele só não teve as oportunidades certas.

Dei de ombros, nada convencido.

– Você também não teve nada e nunca precisou roubar nem nada do tipo – respondi. – Virou até gerente do McDonald's.

William deu uma risada.

– Eu não roubei, mas foi por pouco – confessou ele. – Sabia que eu cheguei a pedir ao Maguila pra me deixar trabalhar com ele? Mas ele mesmo me disse para continuar estudando e não me envolver.

Aquela informação me deixou tão chocado que fiquei em silêncio. Não conseguiria imaginar o meu irmão andando com pessoas como o Maguila.

– Por que você quis trabalhar com ele? – indaguei. – A mamãe sempre falou pra gente não se meter com essas coisas.

William parou e olhou ao redor. Estávamos na frente da nossa casa e ele não queria que ninguém escutasse o que iria dizer a seguir.

– Você não se lembra disso, carinha, mas as coisas ficaram bem difíceis quando o pai deu no pé – contou ele. – A gente não tinha dinheiro nem pra comida, e cortaram a nossa luz. Mamãe chorava o dia inteiro. – William se certificou de que mamãe não estava por perto. – O Maguila era a minha única solução naquele momento, era dinheiro rápido. Por sorte ele me mandou cair fora e deixou uma cesta básica pra gente no dia seguinte. Às vezes, carinha, as coisas acontecem por falta de opção.

Ele então forçou um sorriso, o tipo de coisa que fazia quando queria dissipar a tensão no ambiente, e abriu a porta de casa.

Nossa casa era um espaço apertado com apenas dois quartos, o da minha mãe e aquele que eu dividia com William e com a nossa irmã menor. Era sempre meio escura e as paredes rebocadas estavam cobertas com imagens de santos – era São Jorge pra cá, Nossa Senhora de Fátima pra lá e Nossa Senhora Aparecida em cima da televisão e da geladeira. O piso, de vermelhão, estava sempre brilhando – e causando escorregões. Como minha mãe sempre deixava uma vela de citronela queimando para afastar os pernilongos, o lugar tinha um cheiro que nunca sairia da minha memória.

Nossa mãe, uma mulher negra enorme e de braços grossos, estava cozinhando a janta quando entramos. Ela batia um bife com força, o som do martelo vibrando pela casa inteira. Ter um bife no jantar era coisa rara e especial – sempre de boi, porque porco era caro demais e o frango, mais barato, acabava muito rápido. Mamãe comprava carne para o mês inteiro e fazia um estoque que só era usado nas noites de sexta-feira. Joice, minha irmã de 9 anos, assistia à TV e bebia um copo enorme de Toddy – ela era a mais mimada da casa e ai de quem ousasse reclamar.

(Mamãe comprava até Danone pra ela, vê se pode!)

– Cheguei! – gritou William, tirando os sapatos e jogando-os num canto.

Ele foi até a cozinha e deu um beijo no rosto da mamãe. Ela reclamou dizendo que ele estava fedendo à gordura e precisava tomar um banho imediatamente.

– Que mulher ruim, rejeitando amor de filho – reclamou ele de maneira exagerada.

– Quando o filho estiver cheirando melhor eu não ligo – respondeu mamãe. – Ou melhor, quando os dois filhos estiverem cheirando melhor, porque tô sentindo daqui a catinga do outro. Espero que não esteja zanzando com esses pés sujos dentro de casa.

– O pé dele tá uma nojeira, mããããããe – dedurou Joice, que fazia esse tipo de coisa só pra me ver levando chineladas. – O chão tá cheio de barro.

— Meu pé tá limpo — menti descaradamente e fiz uma careta para a minha irmã. — E já tô indo pro banho, nem me enche, mãe.

Um grito veio da cozinha:

— Olha a boca, menino. Se falar assim comigo de novo vai ficar sem os dentes! Xispa, vai tirar essa imundície.

Murmurei um palavrão em pensamento — porque não era bobo de fazer isso na realidade — e fui pro banho. Porém, antes passei no quarto e peguei o radinho de fita do meu irmão. As coisas que eu mais amava depois de Fórmula 1 eram gibis — especialmente do Homem-Aranha — e rap. Passava horas e horas ouvindo Thaíde & DJ Hum, Racionais e Public Enemy, tentando criar minhas próprias rimas e gravando minhas "músicas" por cima das fitas de Chitãozinho e Xororó, Leandro e Leonardo ou Sérgio Reis da minha mãe.

Levei o radinho para o banheiro e dei *play* na minha fita, uma coletânea que o barbeiro Sapiência havia feito com as últimas novidades americanas. Em menos de uma batida eu já estava improvisando rimas sobre o domingo seguinte, sobre como...

2 DE NOVEMBRO DE 2008

A corrida seria acirrada!

Faltavam 47 voltas e nada parecia definido. Felipe Massa ainda estava em primeiro, voando pelo asfalto de Interlagos. Ele havia acabado de fazer a melhor volta — em 1:14.406 —, mas o segundo colocado, Sebastian Vettel, da Red Bull Racing (que o Galvão Bueno só chamava de RBR na TV, porque a Globo não queria fazer propaganda de graça para uma marca de energéticos), vinha logo atrás, apertando Felipe e brigando pela melhor volta. Em terceiro, Fernando Alonso. Qualquer um dos três tinha chance de ganhar a corrida. Contudo, Lewis Hamilton, o grande adversário, estava em quinto, a posição de que precisava para ser campeão do mundo, mesmo que não ganhasse a corrida.

Naquele momento, todo mundo estava esperando para ver se Hamilton perderia a quinta posição, porque dessa forma Felipe Massa seria o campeão. Porém o inglês não dava pistas de que isso aconteceria – o que ficava mais evidente pelo fato de que Timo Glock estava atrás de Hamilton, com um carro Toyota que dificilmente alcançaria a McLaren de Lewis.

Bernardo, meu filho, estava morrendo de ansiedade e mal piscava ao olhar para a pista, atento a qualquer movimento e tentando acompanhar cada vislumbre do seu piloto favorito. A chuva deu uma trégua, mas todos sabiam que retornaria e alteraria todas as previsões para a corrida. Olhei para o meu menino e me lembrei de quando eu tinha aquele mesmo brilho nos olhos ao ver carros de corrida. Como o barulho dos motores me deixava arrepiado e...

23 DE MARÇO DE 1991

Eu mal podia conter a empolgação. Era o dia de buscar os ingressos para a corrida! Acordei muito cedo e fiquei andando pela casa enquanto esperava o resto da família acordar. Quando William finalmente se levantou, eu nem esperei ele ir ao banheiro.

– E então, vamos pegar o ingresso? – perguntei, enquanto ele ia a passos lentos pro banheiro. Fui seguindo, mas aí ele fechou a porta na minha cara. – Você não respondeu, vamos pegar o ingresso agora? Senão o cara pode mudar de ideia.

– Eu posso cagar primeiro? – veio a resposta do outro lado do trinco. – Se você achar que não dá, eu vou de bunda suja mesmo.

Ele falava desse jeito pelo puro prazer de ser nojento, especialmente quando mamãe estava dormindo. Mas, apesar da minha afobação, fui obrigado a aceitar que a relação de um homem e sua privada precisava ser respeitada. Por isso, sentei no sofá e esperei até que ele saísse do banheiro depois de ter escovado os dentes e se arrumado todo com o perfume Kaiak que ninguém podia tocar. Meu irmão era todo cheio de frescuras.

– Irmãozinho, hoje nós vamos pegar os ingressos, maaaas precisamos dar um trato no visual antes – disse ele. – Se arruma aí que a gente vai lá no Sapiência. Precisamos ficar bonitos na fita pra corrida, vai que a gente aparece na televisão.

Calcei minhas Havaianas azuis e brancas – sapatos e tênis eram caros demais e só eram usados em situações especiais – e já estava pronto para sair. Tomamos café da manhã – meio pão com margarina e café – e saímos de casa. A comunidade estava começando a acordar e várias pessoas já iam de um lado para o outro. Pelo que eu sabia da história do lugar, tudo havia começado com gente vinda de todos os cantos do país para trabalhar na construção civil em São Paulo – em especial na construção do Hospital Albert Einstein e do Estádio do Morumbi. Depois disso, mais e mais pessoas chegaram por ali e o lugar ficou grande como uma cidade.

– Por que a gente precisa cortar o cabelo pra ir no autódromo? – perguntei.

William esfregou a minha cabeça com a palma das mãos.

– Porque autódromo é lugar chique. A gente não pode ir lá de qualquer jeito. É que nem avião, você precisa estar limpinho.

Achei aquilo tudo uma bela besteira, contudo nem reclamei, já que ele estava pagando e o meu cabelo estava mesmo enorme. Se tinha uma coisa com a qual William se importava era a aparência dele. Ele se arrumava até pra ir à esquina. Certa vez, ficou se arrumando o dia inteiro no quarto antes de ter uma conversa com a mãe. Ele ia falar pra ela que "não gostava de meninas, mas de meninos", ou coisa do tipo, mas pra fazer isso ele precisou cortar o cabelo, usar sapatos novos e passar perfume. Vai entender um cara desses.

A barbearia do Sapiência ficava num ponto bem mais alto, e a gente precisava caminhar bastante pra chegar lá.

O barbeiro era uma das figuras mais icônicas da região, criando penteados que todo mundo queria usar nos bailes e vendendo produtos de cabelo que ele mesmo "cozinhava" no barraco dele – ninguém sabia do que eram feitos, mas eram os únicos que funcionavam direito em cabelos crespos. Sapiência também vivia dizendo que iria começar a fazer roupas, mas estava sempre sem tempo, queria ser o Dapper Dan de São Paulo. Quando chegamos lá, ele estava terminando de subir a porta da sua barbearia. Era um cara muito alto e com *dreadlocks* enormes. Sempre usava ternos coloridos, correntes douradas, vários anéis, uma bengala – só pelo estilo – e sapatos bicolores.

– Queridos camaradas – cumprimentou Sapiência. Ele gostava de falar empolado. – O que este humilde servo do estilo pode fazer pelas senhorias no dia de hoje? Um *fade* americano legítimo pro rapaz? Um Fresh Prince pro menino?

Na parede do lado de fora da barbearia estava o rosto de Ayrton Senna com uma bandeira do Brasil ao fundo. O piloto estava sério e olhava para o longe, como se estivesse pensando em algo muito profundo e sagrado.

Naquela época, com todas as coisas "complicadas" acontecendo por todos os lados, Ayrton Senna era a única coisa que fazia a gente sentir um pouco de orgulho, até mesmo para a minha mãe, que só via as corridas porque achava ele bonito. Havia algo de diferente na relação que as pessoas tinham com Senna, como se ele fosse um conhecido, alguém que estava ali na esquina, embora todo mundo soubesse que ele tinha uma origem completamente diferente da nossa. Torcíamos por ele porque havia a crença, ainda que de fininho, nas frequências baixas, de que uma vitória dele provaria que as coisas não podiam estar "tão ruins" assim.

– Eu só vou dar uma aparada com a máquina, chefe – disse William. – Passa a 2 e ajeita o bigode, no estilo.

– Que bigode? – zombou Sapiência. – Esse bigodinho de rato aí? Eu vou precisar de uma pinça, *my brother*.

– Olha que vou embora – respondeu meu irmão com uma risada. – O que um homem precisa fazer pra ser tratado com um pouco de respeito, hein?

– Precisa ser um homem – retrucou o barbeiro –, e não um menino com bigode de rato, chefia.

Eu me sentei na cadeira de plástico para esperar a minha vez e peguei uma das revistas que o Sapiência deixava por ali. As revistas dele não eram chatas como aquelas dos outros salões; ele era o único que conseguia edições importadas da *The Source*, a maior revista sobre rap do mundo. Eu não conhecia uma só palavra em inglês, porém só de ver as fotos ficava com os olhos brilhando. Sempre descobria grupos novos quando ia cortar o cabelo e sonhava em um dia aparecer nas páginas daquela revista com as minhas músicas.

William e Sapiência começaram a falar sobre "coisas de adultos", xingando o presidente Collor e falando de coisas como congelamento de preços, juros e hiperinflação. Eu não entendia nada do que eles falavam, mas o resumo, de acordo com os dois, era de que tudo estava ruim e era culpa do tal Collor, que enganou os brasileiros dizendo que seria um bom presidente, só que na verdade era a pior coisa que já havia acontecido na história inteira do país.

Eu me lembrava de algumas frases que o Collor havia dito nas eleições, porque eram repetidas todos os dias nos jornais. Vamos dar um não à desordem, à bagunça, à baderna, à bandeira vermelha. Vamos dar um sim à bandeira do Brasil, verde, amarela, azul e branca. O fato engraçado era que, agora, muita gente só sentia orgulho daquele papo de bandeira, patriotismo e coisa do tipo quando Ayrton Senna corria, porque de resto, como dizia o William, "pra gente pobre o Brasil é uma porcaria, mano. É isso que acontece quando o povo vota em falsos ídolos".

As coisas eram tão esquisitas que, todo dia – ou melhor, toda hora – os preços mudavam no supermercado. Se você chegasse em certo horário o preço seria um, mas, se chegasse meia hora depois, o valor tinha dobrado. Como ninguém podia confiar nos preços nas etiquetas, todo mundo fazia grandes compras mensais, como se estivessem se preparando para o fim do mundo em um apocalipse zumbi. Em dias de oferta, os mercados ficavam lotados e mal dava pra respirar, mas era melhor do que pagar mais caro depois. No supermercado aonde a gente ia, tinha um cara que era responsável por mudar os preços. Ele saía com aquela maquininha trocando os preços: *tec-tec-tec*. Quando esse barulho soava, todo mundo debandava. Minha mãe sempre corria para pegar as coisas antes que o moço com a etiquetadora colocasse os preços novos.

Mamãe era mais rápida do que Senna, Prost e Piquet juntos.

Assim que Sapiência terminou de cortar os nossos cabelos, ele colocou a mão no meu ombro e, com uma expressão séria que eu não costumava ver no rosto dele, disse:

– Olha – começou com uma voz grave –, tomem cuidado. A pista é perigosa pra quem vem de onde a gente vem. Você e o seu irmão, olho vivo, *my man*.

Então ele me deu um pirulito de morango e virou as costas para ir trabalhar em um novo cliente. Eu não entendi bem o que ele quis dizer com aquilo, mas acabei esquecendo bem rápido enquanto voltávamos para casa. Dali a pouco, William e eu iríamos pegar os nossos ingressos. Estávamos a um passo de ver Ayrton Senna correndo diante dos nossos olhos! Isso seria...

2 DE NOVEMBRO DE 2008

Incrível!

A chuva voltou quando faltavam apenas oito voltas para o fim. Lewis Hamilton estava na quarta posição e Felipe Massa continuava em primeiro. Tudo ficava cada vez mais dramático, e eu podia sentir o meu coração batendo mais forte. Bernardo olhava para a pista com olhos atentos e apertava a beirada do camarote com tanta força que os nós dos seus dedos estavam embranquecidos.

Então, faltando seis voltas para o final, Sebastian Vettel, que ao longo da corrida tinha caído para a sexta posição, começou a atacar Lewis Hamilton. Vettel ia de forma agressiva, jogava o carro de um lado, tentava encontrar espaço do outro, mas nada funcionava. Nesse momento, vimos a Ferrari de Fernando Alonso ir para o box colocar pneus de chuva. A parada dele foi rápida e, em poucos segundos, o espanhol saiu acelerando. Mas foi aí que veio o segundo que me deixou com o coração na mão e fez Bernardo sorrir.

Lewis Hamilton foi para o box e só faltavam cinco voltas para a corrida terminar. Enquanto Lewis estivesse no box, qualquer um poderia ultrapassá-lo. A troca de pneus dele durou apenas 6.1 segundos, mas isso era quase uma eternidade na Fórmula 1. Quando Hamilton voltou a acelerar, mantendo o limite de velocidade da reta dos boxes, fiquei de pé ao lado de Bernardo, esperando a McLaren prateada sair do ritmo de tartaruga. Por fim, o inglês chegou à parte livre e voltou a acelerar ao máximo, mas estava na quinta posição com Sebastian Vettel logo atrás dele, doido para ultrapassá-lo.

Se Vettel ultrapassasse naquele momento, Felipe Massa seria o campeão da corrida e do campeonato – o resultado pelo qual meu filho esperava com tanta ansiedade. Naquele momento, Bernardo se tornou o maior dos torcedores de Sebastian Vettel. Olhei para o garoto e desejei ter a capacidade de ler os pensamentos da criança, sentir o que ele estava sentindo ali. Seria algo parecido com o que senti tantos anos atrás? Eu sabia que o pai de Lewis Hamilton estava no autódromo naquele dia, assistindo ao mesmo fim de corrida que eu, e fui obrigado a me questionar como estariam os pensamentos dele. Depois de ter me tornado pai, sempre me perguntava se os outros pais se sentiam como eu me sentia a cada instante: levemente perdido e maravilhado o tempo todo.

A chuva ficava mais pesada e tudo se tornava mais dramático. Então, faltando duas voltas para o fim, o impossível aconteceu: Sebastian Vettel ultrapassou Lewis Hamilton! Uma manobra de gênio que fez a multidão se levantar em todas as partes de Interlagos.

Lewis Hamilton não conseguiria recuperar sua posição em tão pouco tempo, especialmente contra a RBR de Vettel.

Felipe Massa seria o...

23 DE MARÇO DE 1991

Campeão!

Esta era a palavra nos lábios de todo mundo pela cidade. Ayrton Senna seria o campeão em São Paulo e a gente mal podia esperar. William e eu pegamos o metrô e fomos em direção à Avenida Paulista. Fazia pouco tempo que a linha verde tinha sido inaugurada, mas o número de pessoas nas estações já havia aumentado consideravelmente. Eu usava minha calça jeans de ir à missa, tênis e uma camiseta com a foto do Senna, presente surpresa do William, que havia comprado pra mim depois do último dia de trabalho.

Saímos na estação Brigadeiro e fomos caminhando para o lugar onde meu irmão se encontraria com o conhecido dele, em frente ao Masp. A rua estava movimentada: carros enormes e quadradões – a maior parte deles tentando abastecer, porque os postos de gasolina (e supermercados) não abriam aos domingos –, prédios de todos os tamanhos e pessoas caminhando de um lado para o outro.

Havia inúmeras propagandas espalhadas pelos muros e laterais de prédios, como o grande totem da Marlboro no meio da avenida. A outra visão constante eram os cartazes xingando o presidente Collor por ele ter confiscado o dinheiro das poupanças. Um ano depois, as recordações desse dia ainda eram horríveis. Eu lembrava que um padeiro lá da comunidade se matou ao perder tudo o que havia economizado para comprar uma casa fora da favela. Também vi a Cleide, nossa vizinha, chorando na calçada porque o confisco pegou todo o dinheiro do salão de manicure dela e naquele dia ela não tinha nada, nem para comprar pão.

William e eu ficamos esperando o colega dele sob o vão do Masp.

— Amanhã a gente vai sair bem cedo – explicou o meu irmão. – Se a gente não fizer isso, vamos perder os melhores lugares. Ah, e hoje, antes de ir pra casa, a gente passa no mercado e prepara um lanche, pão com salame e um refri.

Olhei pra ele semicerrando os olhos.

— Ficou rico, é? respondi. – Não sabia que o Mac tava deixando o povo milionário. Pão com salame, olha o cara.

William riu.

— Poder de gerente, carinha – disse ele. – Daqui a pouco eu vou ter tanto dinheiro que vou dar uma Ginsu 2000 pra mãe, você vai ver.

Olhei para a rua e vi as pessoas, gente de terno e gravata indo para um lado, viatura de polícia subindo para o outro, um malabarista no sinal em cima de pernas de pau e um carro de som fazendo propagandas.

— Nem acredito que a gente vai ver o Senna de perto – falei. – Vamos ver todos eles. Senna, Prost, Piquet, Mansell... – Fui dizendo aqueles nomes como se fossem parte de uma oração.

William assentiu com a cabeça.

— Mas sabe o que vai ser ainda mais legal? – perguntou ele, com aquele sorrisinho de rato. – O dia em que tiver um negão correndo por lá. Ele pode ser até do Japão que eu vou torcer por ele. Pode ser *argentino* que eu vou torcer por ele.

– Mesmo se ele estiver correndo contra o Ayrton Senna? – indaguei incrédulo. Era como se William estivesse blasfemando. – Você deixaria de torcer pra alguém do seu país?

William ficou pensativo por um segundo, depois balançou a cabeça em sinal afirmativo umas três vezes.

– Acho que sim – disse ele. – Senna é o melhor de todos, mas sempre foi rico, sempre teve dinheiro. E a gente vibra por ele! Mas, imagina só o dia em que tiver alguém parecido com a gente por lá, cara. A gente vai torcer ainda mais, vamos até poder sonhar em dirigir uma McLaren também. Um negão em uma McLaren, isso que é sonho.

A gente ainda tava falando sobre todas as coisas que William faria com seu salário de gerente do McDonald's quando o colega do meu irmão chegou. Ele era um cara baixo, careca e gordinho, com marcas redondas de suor debaixo dos sovacos e dedos roliços. Tinha a pele mais escura que a nossa e usava uma camisa do Racionais MC's, um grupo de rap de São Paulo que havia lançado pouco tempo antes o primeiro EP deles, *Holocausto Urbano*, e estava fazendo a cabeça de toda a rapaziada.

– Fala, Bira – cumprimentou o meu irmão, dando um abraço no cara. – E os ingressos, estão contigo ou não?

O cara deu uma risada que pareceu ecoar pelo Masp inteiro – ele colocava a mão na barriga e quase se dobrava.

– Eu sou que nem faca Ginsu, filho, não falho – respondeu. – Fiz as contas e o preço deu uma subidinha de ontem pra hoje, William.

Os preços de todas as coisas mudavam de uma hora para a outra. William, porém, já havia contado com isso e economizara um pouco a mais. Ele pegou o dinheiro na carteira e entregou ao Bira, que contou o bolo de notas e tirou os dois ingressos do bolso de trás da calça. Meu irmão pegou os ingressos e enfiou rapidamente no bolso da frente, tamanho era o seu medo de que alguém pudesse roubar aquilo. Mas, como eu ficaria sabendo pouco depois, isso foi um erro *muito* grande da parte dele. Ainda que nem ele, nem eu pudéssemos imaginar que enfiar coisas no bolso fosse um erro.

William soltou uma exclamação de júbilo no mesmo momento em que escutamos o barulho de uma sirene sendo ligada e pneus cantando. A mesma viatura que eu havia visto subindo antes parou em cima do passeio, e dois policiais saíram de dentro do veículo. Um deles, loiro e alto, olhou diretamente para o meu irmão e gritou:

— Paradinho aí, maconheiro! — Ele tirou a arma e apontou pra gente. — Pego em flagrante, pretinho.

William e eu ficamos sem reação, chocados demais até mesmo para piscar.

Então, por algum motivo que só Deus sabia, o Bira decidiu gritar e sair correndo na direção da avenida, onde um monte de gente havia parado para observar. Bira virou as costas e correu feito louco, os braços abertos e gritando:

— EU NÃO FIZ NADA, DOUTOR, EU NÃO FIZ NADA.

Sem que houvesse nenhum aviso, escutei o barulho de uma explosão. Durou menos de um segundo, mas aí vi o Bira cair no chão urrando de dor. Foi o som de um animal ferido, o pior som que eu já tinha escutado em toda a minha vida.

Minha boca ficou aberta em uma vogal estrangulada ao ver o sangue escorrendo das costas do homem. O segundo policial, de cabelo preto e bigode, havia atirado no Bira e estava indo algemá-lo. Foi como uma longa cena de filme de terror.

— Correu por que, gordão? — falou o policial. — Quem não deve não teme. Se correu é porque tava fazendo coisa errada.

O policial loiro começou a andar na nossa direção com a arma apontada para o William. Os olhos do guarda eram dois pontos escuros e sem vida, parecidos com o de um pastor alemão se preparando para o ataque.

Várias pessoas haviam se juntado para observar a cena.

– Vagabundo tem que morrer mesmo – falou alguém no meio da multidão.

– Acaba com esse bandido de uma vez – disse outra pessoa.

Olhei para William em pânico, esperando que o meu irmão mais velho pudesse nos tirar daquela encrenca, que esclarecesse as coisas dizendo que não éramos bandidos. Senti um líquido quente escorrer por entre as minhas pernas. O meu medo se misturou com vergonha, e tudo o que consegui fazer foi me esforçar para não chorar. Eu podia sentir o meu coração batendo forte contra o peito, indomável e feroz.

– Senhor – começou o meu irmão, com as duas mãos estendidas na direção do policial, como se quisesse parar balas com a mão. – Eu juro, a gente não tava mexendo com droga. Juro, só viemos pegar ingresso pra corrida.

O policial riu com gosto.

– Me engana que eu gosto, marginal – disse ele. – Trouxe até o seu aviãozinho, né? Recrutando cedo.

William sacudiu a cabeça e falou:

– Eu posso provar pro senhor!

Foi aí que meu irmão levou a mão direita ao bolso para pegar os ingressos e comprovar que não éramos traficantes nem nada do tipo.

Tudo aconteceu em segundos, mais rápido do que uma parada nos boxes. O segundo policial, que olhava para a gente enquanto imobilizava Bira com um pé, viu o movimento do meu irmão e gritou:

–ARMA!

Sacudi a cabeça e tentei gritar "não", mas, antes que pudesse fazer qualquer movimento, houve um estampido e eu vi o corpo de William cair no chão de forma pesada. Uma cachoeira de sangue começou a jorrar da cabeça dele, os ingressos firmes na mão. Meu irmão estava com os olhos abertos e fixos.

Olhei para a cena sem conseguir fazer mais nada: foi como se o tempo parasse e tudo ao meu redor se tornasse um borrão.

Depois olhei para a minha camiseta e vi o rosto de Ayrton Senna coberto com o sangue do meu irmão.

Foi aí que tudo escureceu e...

2 DE NOVEMBRO DE 2008

A bandeira quadriculada foi agitada com força. Felipe Massa venceu o GP de Fórmula 1 do Brasil, passando rapidamente pela linha de chegada. Bernardo deu pulos de alegria e socou o ar, assim como várias pessoas que estavam no mesmo espaço que a gente. Todos podiam escutar mentalmente a música da vitória que tocava na Globo.

Enquanto isso, lá atrás, faltando três curvas para o fim da corrida, Lewis Hamilton, o primeiro piloto negro na história da Fórmula 1, continuava em sexto, o que daria a vitória do campeonato para o piloto brasileiro.

Fiquei imaginando o que o meu irmão pensaria se estivesse ali com a gente, vendo um dos seus desejos ir por água abaixo: um piloto da mesma cor que a gente lutando por uma vitória, sem sucesso. Ele teria gostado de ver o nome de Lewis Hamilton ao lado de Fangio, Schumacher, Piquet, Prost e Senna. Era injusto que William não estivesse ali e que seu sonho não tivesse se tornando realidade. Era terrível que eu nunca tivesse passado dos portões de entrada em Interlagos com ele – um trajeto que, pela falta do meu irmão, demorei 17 anos para fazer.

Senti lágrimas inesperadas surgindo nos meus olhos. Lágrimas atrasadas, pensei, enquanto as limpava com o dorso da mão. Vi que Bernardo me olhava desconcertado. Dei um sorriso com o canto da boca e voltei a observar a corrida. Duas curvas para o fim.

Os carros seguiram com força e foram para o mergulho dentro da penúltima curva. Hamilton era o sexto, Sebastian Vettel era o quinto e Timo Glock era o quarto. Era quase impossível que Lewis conseguisse ultrapassar a RBR.

Aquele sonho de William de ver, pela primeira vez, um piloto negro sendo campeão da Fórmula 1 em uma McLaren, seria adiado novamente. Seria apenas...

23 DE MARÇO DE 1991

Um borrão. Não me lembro do que aconteceu depois. Tudo de repente pareceu perder o peso, eu me sentia nadando em um poço de piche, afundando cada vez mais. Eu talvez precisasse chorar, mas nenhuma lágrima surgia, apenas um sentimento de vazio no meio da barriga, como se vento estivesse a correr lá dentro.

Eu me lembro da minha mãe chorando e de todos os parentes aparecendo para confortá-la. Um tio meu tomou conta das burocracias e da liberação do corpo de William, as despesas funerárias foram pagas pelo Maguila, que inclusive perguntou se a minha mãe queria que ele "apagasse" os caras que tinham feito isso. Minha mãe agradeceu, porém disse que não precisava, que ela não queria mais sangue. Minha irmã foi para a casa de uma prima da minha mãe; eu decidi ficar em casa. Precisava ajudar a mamãe agora que William não estava mais ali.

Tudo parecia tão sombrio que eu não imaginava como poderia voltar a sentir alegria, por qualquer motivo e em qualquer dia. Como eu poderia ter esperanças de alguma coisa boa acontecer depois daquilo? Eu queria que o mundo fosse desmontado e que as estrelas fossem apagadas. Pela primeira vez, havia visto o que acontecia com pessoas como eu. Sem motivo, sem razão e sem explicação.

A casa estava silenciosa quando acordei na manhã de domingo. Minha mãe tinha passado a noite toda ao lado do corpo do meu irmão, e foi o Maguila que me deixou em casa de manhã. Ele também se ofereceu para me fazer companhia até chegar outra pessoa, mas falei que preferia ficar sozinho e menti dizendo que um tio viria me ver mais tarde. Eu não queria a presença de ninguém.

– Se precisar de qualquer coisa é só falar, maninho – disse Maguila antes de ir embora. – Fica na firmeza.

Do lado de fora, uma chuva fina e irritante. Enrolado em um cobertor, fui até a sala e liguei a TV, doido para fugir daquele silêncio acachapante. No primeiro canal estava passando uma reportagem em que o apresentador dizia "Suspeitos de tráfico são baleados pela polícia em São Paulo: o primeiro morreu na hora e o segundo foi a óbito no caminho para o hospital. Mais notícias depois do nosso comercial de Mega-Gel, o melhor gel de cabelos do país".

Fechei a cara e mudei de canal. Para minha surpresa, lá estavam os carros de Fórmula 1 no *grid* de largada. Eu havia me esquecido completamente daquilo por causa da morte de William. Pensei em desligar a televisão ao me lembrar dos ingressos nas mãos defuntas dele, mas acho que estava exausto demais até para isso. Apenas deixei que as imagens e os sons acontecessem diante dos meus olhos, o brilho azulado do aparelho contra um garoto enrolado em um cobertor.

Todos os carros enfileirados no *grid*. A voz de Galvão Bueno escapava da televisão:

– Lá vem a luz vermelha, lá vem a largada do Grande Prêmio do Brasil. Não pintou. Demorou. – O semáforo de largada podia ser visto em destaque. – Vermelha. Vai pintar. Vem a verde. – Os carros aceleraram, pneus giraram, fumaça subiu. – Vamos, Senna. Larga bem, Senna. Escapa ali na ponta. Patrese fica. Mansell briga com ele.

Senna disparou em primeiro e mergulhou na curva do S do Senna. Alguns ficaram para trás logo de cara, mas as máquinas da Williams tentaram atacar o piloto brasileiro. Senna abriu vantagem, como já era de se esperar dele. O brasileiro avançou pelo asfalto em seu MP4/6-Honda V-12 da McLaren, o motor roncando alto. Atrás dele vinham as Williams com motores FW14-Renault V-10 de Nigel Mansell, o leão da Fórmula 1, e Riccardo Patrese.

Pela primeira vez nas últimas horas, fiquei sem pensar em William por um segundo, apenas observando as curvas perfeitas de Senna, deslizando pela pista como se fosse uma valsa feita com rodas.

Então, na volta 26, Nigel Mansell precisou entrar no box e a parada demorou mais do que o normal, 14 segundos inteiros, dando ainda mais espaço a Senna. Eu me ajeitei na ponta do sofá e deixei o cobertor cair.

Tudo parecia ir bem e perfeito, mas algo de ruim aconteceu com Senna. Ele começou a perder velocidade enquanto Mansell vinha cada vez mais forte, indicando que poderia ultrapassar o piloto se continuasse daquela forma. O que eu só ficaria sabendo bem mais tarde é que Senna havia acabado de perder a sua quarta marcha e precisava fazer um enorme esforço físico para continuar guiando o carro defeituoso a trezentos quilômetros por hora, tremendo o braço para que as marchas restantes encaixassem.

Respirei fundo e continuei a assistir à corrida, apenas eu e o silêncio de uma casa vazia.

Nigel Mansell continuava veloz quando Senna teve ainda mais problemas. "Comecei a ter dores no pescoço, ombro e nos braços. De repente fiquei sem a quinta e a terceira marchas, nada funcionava", diria ele mais tarde. Contudo, foi pela volta 59 que o impossível aconteceu: o câmbio semiautomático de última geração do FW14 da Williams quebrou e Nigel Mansell saiu girando por Interlagos.

Eu me levantei e encarei a TV com a boca aberta e os punhos fechados, sem acreditar. Ainda havia esperança. Foi a vez de Patrese tentar atacar Senna, ainda que estivesse 40 segundos atrás do brasileiro. Patrese acelerava e rugia, como um tigre perseguindo a presa veloz, porém ferida. Ele vinha e vinha.

Restavam 11 voltas para o fim e Ayrton Senna só tinha uma marcha restante, seus anéis sincronizadores estavam quebrados e as engrenagens de carro tinham dentes faltando. Patrese se aproximou mais.

Foi nesse momento que, sem nenhum motivo em especial, eu senti como se estivesse recebendo um abraço apertado e alguém colocasse a mão em cima do meu peito, um toque quente. Olhei para os lados, mas ainda estava sozinho em casa. A chuva voltou a cair sobre São Paulo, o que, de certa forma, pareceu uma coisa boa.

Voltei os olhos para a TV. Patrese colou em Senna e tentava ultrapassar de todas as maneiras, mas Ayrton segurava como podia, jogando o carro de um lado para o outro, mergulhando em curvas e acelerando como dava com sua única marcha. E, naquele mesmo instante, a chuva também começou a cair sobre Interlagos, faltando apenas duas voltas para o fim.

Foi um verdadeiro milagre!

Todo mundo sabia que Senna era o melhor piloto do mundo debaixo de chuva, que ele devia inclusive *gostar* da chuva, porque sempre vencia quando tinha água no asfalto. Os pingos de chuva foram lavando os 4.325 metros de Interlagos.

Senna acelerou com força e avançou para a última volta. Patrese não aguentou o ritmo do brasileiro e ficou para trás no meio da água.

– *Aí vem Senna* – dizia Galvão Bueno, – puxa de um lado, acelera, puxa pra direita, tá chovendo. – As imagens eram de dentro do carro de Ayrton. Eu podia ver o capacete dele se movimentando e a mão guiando o volante com dificuldade. Botei as mãos na cabeça. – Vai apontar Ayrton Senna, depois desta curva. Aponta Senna! Vem pra reta! Vai pra vitória!

E a bandeira quadriculada foi agitada com força enquanto as letras "A. SENNA Vencedor/Winner GP BRASIL 91" apareciam na tela da TV. Ayrton Senna havia conquistado sua primeira vitória no Brasil. Dei pulinhos e abri um sorriso. Foi aí que a emissora soltou o áudio de dentro do carro de Senna. O piloto gritava do fundo dos pulmões, um grito feito apenas de emoções não articuladas, urros de arranhar a garganta e que pareciam sair não de um homem, mas de uma fera.

A música de vitória irrompeu com força. Assisti enquanto Ayrton tentava pegar uma bandeirinha do Brasil com algum dos juízes de corrida, mas o carro dele morreu e ficou pelo caminho. Aquela corrida foi uma das coisas mais incríveis que eu já tinha visto, feita toda de espírito e coragem. "Não sei nem como ele está se aguentando", dizia o Galvão, "porque eu o conheço bem, eu sei, ele é um feixe de nervos, coração e emoção."

Tudo o que ocorreu depois comprovou que algo de especial havia mesmo acontecido naquele dia. Senna precisou ser atendido pelos médicos dentro do carro porque estava exaurido e não conseguia mais se mexer. Um exército de verde e amarelo pulou dentro da pista e correu para ver o pódio de perto. Então, Senna, no alto do pódio, tentou duas vezes erguer o troféu , mas suas forças estavam ausentes, ele havia deixado tudo de si na pista. Demorou um tempão até enfim erguer o troféu com o braço direito, apenas por alguns segundos.

Exausto, mas ainda de pé.

Foi quando algo muito estranho aconteceu. Uma coisa que eu não contaria para a minha mãe e nunca dividiria com ninguém. Olhei de relance para o sofá velho e pude ver meu irmão sentado ali, sorrindo, cheio de animação e com um brilho nos olhos que eu conhecia desde o dia em que nasci.

Em um piscar de olhos, porém, ele desapareceu, e eu me vi novamente sozinho. Fiquei buscando mil explicações para aquilo, mas nenhuma resposta veio ao meu auxílio. Talvez fosse o cansaço, talvez fosse o luto...

Completamente exausto e devastado, eu comecei a chorar. Mas era um choro de purificação. Senti o peso do último dia se assentando dentro de mim, me dizendo que aqueles policiais podiam ter tirado a vida do meu irmão, mas que William estaria comigo toda vez que eu assistisse a uma corrida, toda vez que eu ajudasse a minha mãe e me esforçasse para viver com dignidade. Ele estaria comigo.

Eu não deixaria que os policiais acabassem comigo, que o presidente acabasse com a minha mãe, ou que o homem na tv humilhasse a memória do meu irmão, porque...

2 DE NOVEMBRO DE 2008

Como dizia o grande piloto pentacampeão Juan Manuel Fangio: "Carreras son carreras, y terminan cuando se baja la bandera de cuadros."*

Sebastian Vettel, sempre agressivo e determinado, não aceitaria ficar apenas na quinta posição e acelerou para cima de Timo Glock. Foi como uma dança acontecendo a 310 quilômetros por hora. Uma pequena descida e o alemão jogou para a esquerda, ultrapassando a mediana Toyota de Timo Glock.

O que acabou sendo a melhor coisa do mundo!

Embora Lewis Hamilton não tivesse muita chance de ultrapassar a Red Bull e pegar a quinta posição, era bem mais fácil fazer isso contra uma Toyota mediana com pneus de pista seca em um dia de chuva. Lewis, aproveitando o vácuo deixado por Sebastian Vettel, deu o bote contra Timo Glock e o ultrapassou na Junção, a última curva de Interlagos.

Nem todo mundo conseguiu ver aquela última ultrapassagem, por isso vários no meu camarote já cantavam a música

---

* "Corridas são corridas, e acabam quando desce a bandeira quadriculada." (N.E.)

de torcida da Ferrari e sacudiam bandeirinhas vermelhas com o El Cavallino Rampante, mas eles estavam errados...

Por trinta segundos Felipe Massa foi o primeiro campeão brasileiro de Fórmula 1 desde Ayrton Senna da Silva.

Por trinta segundos.

Até Lewis Hamilton ultrapassar a linha de chegada e erguer a mão direita, comemorando o fato de que havia se tornado o primeiro negro vencedor do campeonato de Fórmula 1. Felipe Massa havia levado a corrida, e eu estava contente por isso, mas Lewis havia levado o grande prêmio mundial. Todo mundo ao meu redor, inclusive o meu filho, ficou em choque ao ver o *replay* pelo telão do camarote. Lá estava Hamilton em sua McLaren, ultrapassando Timo Glock na última curva chuvosa. Bati palmas e soltei um grito de comemoração – fui o único a fazer isso naquele lugar, mas eu não estava nem aí.

Anos depois da morte de William, mais uma vez sob chuva eu vi uma McLaren me emocionar. Lewis e Senna, por motivos tão diferentes, porém iguais de tantas formas para mim. Eu, do fundo do meu coração, desejei que meu irmão estivesse vendo aquilo de algum lugar. O sonho dele havia se realizado, afinal.

Nenhum outro sonho seria adiado.

O HERÓI NA SALA 307

FERNANDA NIA

– Não tem como saber quem é o herói – repete Alex, apressando-se para me acompanhar pelo corredor do colégio. – São centenas de alunos só no Ensino Médio. Você tá pensando em fazer o quê, jogar todo mundo contra a parede e perguntar, na cara dura, se a pessoa solta raiozinho pela mão feito o Águia Azul? Ou vai procurar as fantasias dentro da mochila de cada um mesmo?

– Por que você tá insultando meu poder investigativo tão cedo pela manhã? – rebato, concentrada nos números das salas de aula: 301, 302...

– Isso *se* realmente existir um super-herói entre nós – continua o garoto. – Fato que continuo achando duvidoso.

– Tenho certeza que existe. Eu vi a luz azul saindo pela janela da sala 307 naquele dia em que fiquei até mais tarde no colégio e desci pro estacionamento dos professores pra ajudar a Marly a carregar os trabalhos da turma. Sem contar que eu não sou a única que já viu atividades suspeitas pelas salas. São diversos relatos de alunos e em horários diferentes. Eu estava no estacionamento, mas tem gente que viu uma luz do pátio. Ou vindo das janelas das salas. Não tem outra explicação exceto que o Águia Azul está entre nós. Ou você acha mais plausível que seja o pessoal das monitorias noturnas fazendo uma *rave* em segredo?

– Bom, de fato não dá pra confiar no pessoal da monitoria de Química.

Reviro os olhos. Alex está atrás de mim e não vê, mas tenho certeza de que sabe que estou fazendo isso. Assim como sei que, em resposta, ele está apertando os lábios e os puxando para o lado a contragosto.

– Mesmo que a luz azul não signifique nada – digo, espiando-o por cima do ombro para constatar que sim, estava mesmo –, essa não é a nossa única evidência. Os aplicativos de acompanhamento de heróis e vilões marcam o nosso bairro com o maior índice de aparecimento tanto do Águia Azul como do Nuclear, justamente o arqui-inimigo dele. E sabe o que eu descobri quando peguei as informações deles e cruzei com as dos noticiários e dos vídeos na internet?

O corredor vira depois da sala 305. Sigo acompanhando: 306, 307...

Não espero a resposta de Alex e continuo:

– Que a maioria esmagadora dos confrontos entre os dois acontecem num raio de três quilômetros do nosso colégio, com o Santa Marta exatamente no centro. – Levanto uma palma sem virar para o garoto, antes que reclame. – Sim, já fiz e refiz as estatísticas à mão. Isso tudo não pode ser só coincidência.

– Nunca pensei que te dar aquele pacote de marca-textos coloridos fosse ser tão perigoso.

Viro para ele subitamente. Alex para um segundo antes de trombar o peito no meu nariz.

– Perigoso – digo, devagar – é estudar num colégio em que um dos alunos é alvo pronto para explodir com os *lasers* radioativos de um dos maiores supervilões da atualidade dessa cidade. Você não vê nas fotos como ficam os lugares depois que o Águia Azul luta com o monstro do Nuclear, Alex? É pura destruição. Se nós estamos correndo risco, temos o direito de saber por quê. Ou melhor, por quem. E eu vou descobrir, nem que de fato tenha que jogar cada pessoa deste colégio contra a parede.

Alex me encara, o que, no nosso caso, geralmente é mais uma luta do que uma troca de olhares.

– Por que você é tão teimosa, Aninha? – diz ele.

– Porque eu tô sentindo aqui dentro que estou certa. – Bato com a palma no peito. – E, quando é assim, eu costumo estar, mesmo.

Ele não retruca, então dou-lhe as costas e volto a andar. O sol quente do meio da manhã entra pelas janelas de película deste lado do prédio e faz quadrados de raios frios cada vez menores no chão do corredor. Em breve, o intervalo acabará e não teremos tempo de avançar na nossa busca.

De falar com *ela*.

Aperto o passo.

– Por que você precisa sempre me deixar tão preocupado? – murmura Alex, tornando a me seguir.

Paro enfim na frente da última porta do corredor: sala 312. A do ensino intensivo para os primeiros alunos do *ranking* do colégio.

– Alex – começo a falar, me virando para o garoto quando ele para ao meu lado. – Você me conhece há uns dez anos. Quantas vezes eu estive errada?

Ele faz uma careta, sem responder.

– Exatamente. E, olha, a gente já conversou sobre isso e você disse que iria investigar o herói comigo. Se mudou de ideia, tudo bem. Não tem problema. Deixa que eu continuo e resolvo sozinha. Porque, com ou sem ajuda, é isso que eu vou fazer. A segurança do nosso colégio inteiro depende de eu encontrar esse herói imprudente e completamente sem consideração que atrai tudo o que é ruim pra cá e ter uma boa conversa com ele, para juntos traçarmos a melhor estratégia de proteção contra o Nuclear, que adoraria perfurar o nosso querido Santa Marta todinho com as suas pistolinhas *lasers*. Então é o que vou fazer. A única questão aqui é: vamos fazer isso juntos?

Alex suspira, resignado.

— Sempre — responde ele, abrindo a porta para mim.

— Vocês sabem como eu trabalho — diz a garota, arrumando as pilhas de papéis grampeados em três carteiras arrastadas em volta de si. Aqueles eram papéis que a maioria dos alunos mataria para obter. — Informação é poder. E poder não se dá de graça. O que vocês têm pra me oferecer em troca de eu arranjar essa... foto do suposto herói?

Paty das Provas, como é conhecida pelo corpo discente, não é a primeira aluna do *ranking* de notas, mas com certeza é a mais esperta. Ao construir uma rede de contatos em diversos períodos e instituições e aliar isso à ambição de alguém que sabe jogar para ganhar, ela se tornou a fonte número um do colégio para qualquer tipo de informação valiosa, incluindo provas, matérias e, acima de tudo, boatos. Seja o simulado de Literatura da professora Ananda de dois anos atrás ou o vídeo gravado do aluno que chegou bêbado para fazê-lo, não importa: Paty das Provas arranja para você.

Se você puder pagar.

— Bom — digo —, você vai ser a primeira a saber quando eu descobrir se existe mesmo um herói entre nós. E a nossa investigação é confidencial. Então, considere a nossa troca um investimento.

Ela dá um sorriso torto, para o mesmo lado que cai o topete do seu cabelo curto, e balança a cabeça como se eu estivesse brincando.

— E eu achando que o moleque que tentou me pagar com vale-merenda era o mais abusado. — Ela repousa a última prova que arrumava em uma das pilhas e se aconchega na sua carteira.

– Só aceito pagamento à vista. Não faço trocas por promessas. Especialmente aquelas impossíveis de cumprir.

– Não é impossível – insisto. – E acho que você sabe disso. Não me engana, Paty. Os alunos têm visto coisas estranhas há meses. E você é esperta demais pra achar que é só coincidência. Aliás, eu tenho certeza de que fez questão de descobrir quem viu o quê, quando e onde pra cada uma das aparições.

A garota pega um pacote de amendoim que estava sobre sua carteira.

– Sinto muito, mas não tenho nada que possa ajudar vocês. – Ela o abre calmamente. – Querem amendoim?

– Não, obrigado – responde Alex educadamente da porta, onde vigia o restante dos alunos no intervalo, ao mesmo tempo em que eu digo, apoiando a mão sobre uma das pilhas de folhas:

– Deve ter alguma coisa! Você sabe de tudo!

Ela lança um amendoim para dentro da boca.

– Sei mesmo. Mas só o que é possível saber. Não o que é teoria da conspiração.

Me debruço sobre a mesa em direção a ela.

– Pensa bem, Paty. Não sou eu que tô te pedindo. São os quase quinhentos alunos que estudam com a gente e que estão correndo risco de vida. E a sua chance de ajudá-los é só agora. Porque a cada segundo que passa o Nuclear tá mais perto de descobrir que o Águia Azul está aqui. E, quando ele conseguir antes de nós e estivermos procurando os sobreviventes entre os escombros do nosso colégio, você vai ter que viver pra sempre com o fardo de saber que tinha o poder de impedir o desastre, mas escolheu não se esforçar. – Me endireito, tiro a mão da mesa e a apoio no quadril. – Se você sobreviver, é claro.

Ela para de mastigar enquanto me encara por um momento. Espia Alex na porta. Engole e lambe os lábios.

– *Se* isso tudo for verdade – diz Paty – e nós estivermos mesmo à beira de um ataque, não vai ser uma dupla de alunos que vai impedir.

105

– Você tá subestimando o que a Ana consegue fazer quando liga a chavinha da teimosia na cabeça dela – comenta Alex da porta.

– Já tentaram a polícia? – continua Paty. – A força de contingência de vilões?

– Cansei de mandar denúncia. – Abano uma mão. – Eles se recusam a acreditar que o Águia Azul é um estudante. Não adianta. Tá nas nossas mãos. Você vai nos ajudar ou não?

Ela não come mais os amendoins. Nos estuda de um jeito intenso, que avalia opções.

O sinal do fim do intervalo apita no pátio.

– Vou pensar no caso – diz ela, por fim. – Voltem amanhã.

– Eu te conto o que vai cair na prova de Álgebra II – Alex, sua voz suave ecoando na sala ainda vazia.

As sobrancelhas de Paty das Provas se levantam em interesse. Viro para ele franzindo as minhas. Alex está de braços cruzados encostado no batente, um calcanhar cruzado sobre o outro.

– O Carlão comentou comigo o que ia cair durante o churrasco dos professores, no fim de semana passado – ele se explica, dando de ombros.

– O que você estava fazendo no churrasco dos professores? – pergunto.

– É depois da pelada dos professores, ué. – Nós duas o encaramos, céticas. Ele descruza os braços para mostrar as palmas para nós. – Que foi?! Eles me chamaram! Os professores me amam, o que eu posso fazer?

– Deixar de ser absolutamente adorável o tempo todo! – reclamo.

– Eu não sou! Se você é legal com as pessoas, as pessoas são legais com você! Simples assim.

– Você tá falando sério? – Paty nos interrompe. Penso que está duvidando da filosofia de princesa da Disney dele, mas não. – Você sabe mesmo o que vai cair na prova de Álgebra II, a mais temida do Ensino Médio?

Alex desencosta da porta e espia o corredor. Vozes se aproximam. Ele então se volta para nós.

– O suficiente para uma pessoa dirigir os estudos de um jeito *bem* específico – revela.

Paty das Provas assente.

– Você é realmente adorável, porque não consigo duvidar. – Ela tira o celular do bolso do casaco. – Me manda até o final da aula de hoje os tópicos que eu entro em contato com minhas fontes. Se conseguir algo, envio pra vocês.

Quero pular e dançar minha vitória na negociação. Deixo minhas pernas firmes e tiro meu próprio celular do bolso de trás dos meus *jeans*.

– Me dá o seu número – peço.

– Pode deixar que eu entro em contato. – Ela sorri.

Os outros alunos do intensivo começam a inundar a sala.

– Mas você não tem o meu celular – digo.

Paty das Provas pisca para mim.

– Tenho sim. Fica tranquila.

– É só um vulto – repete Alex pela milésima vez. Seus olhos me acompanham enquanto ando de um lado para o outro no terraço do prédio do colégio.

– Francamente, Alexandre. – Paro numa parte da mureta e levanto a tela do celular com a imagem enviada por Paty das Provas, comparando-a com a vista. – Você tem que tratar esse seu pessimismo crônico.

Uma foto de um vulto no terraço do prédio durante a noite. Poderia ser qualquer aluno transgressor passeando pelo terraço proibido (como... bom, nós mesmos, agora) não fosse o fato de que detalhes no corpo do vulto brilham, exatamente como o traje do Águia Azul. O problema é que metade da imagem está encoberta pelas folhas de uma árvore, e algum filtro de correção noturna deixou a imagem acinzentada. E isso foi tudo o que

Paty das Provas teve a nos oferecer, mesmo depois de quase uma semana de busca.

Não é muito, eu admito.

Mas ainda é uma pista.

Analiso as salas de aula abaixo, no outro lado do prédio do colégio, além do nosso pátio central. *Hummm*. Este ainda não é o lugar exato onde o vulto estava. Ando para o lado.

– Aninha, só estou tentando ser prudente – diz Alex. – Porque estamos cansados de saber, por experiência própria, que, quando a sua mente se fixa em algo, ela tende a se tornar uma arma de destruição em massa.

– Massa. – Ando para outro ponto da mureta sem tirar os olhos da tela. – Também quero massa. Podemos comer mais tarde.

– É claro que você escolhe não ouvir o que eu falo quando não te interessa. – Ele suspira.

– Também achei claro. – Aperto os olhos para a vista. – Esta foto é a prova absoluta de que a luz que vi era realmente o Águia Azul. E que ele convive entre nós.

Alex anda até o meu lado e cruza os braços, daquele jeito que faz saltarem seus músculos nos quais eu secretamente gosto de passar a mão (mas que no momento só quero dar um tapa).

– Se você continuar com essa energia negativa – ameaço –, vou ter que te cancelar da investigação e arranjar um Pikachu pra ser meu parceiro.

– Pra irem os dois atrás de supervilões e explosões sem o mínimo de instinto de sobrevivência e sem ninguém pra impedir? Não mesmo. – Ele estica a mão para que eu lhe entregue o celular e dá o seu sorriso preferido, aquele com covinha só na bochecha direita. – Além do mais, eu sou muito mais bonitinho que um Pikachu.

Contra o sol do fim da tarde, a pele dele é só um pouco mais escura do que o negro claro da minha. Mas enquanto estou mais para um tom de bronze, Alex brilha da cor de ouro velho, algo belo e precioso.

Não contesto e entrego o celular. Ele meio que tem razão.

Alex abre as informações da imagem.

– Essa foto foi tirada às 19:15 do último dia 22. Sexta-feira passada. – Ele caminha até outro ponto da mureta e, assim como eu fiz, compara a imagem com a vista. – Julgando pelo ângulo alto, deve ter sido uma sala do segundo andar. Só duas delas têm árvores na frente. Pelo que eu me lembro, são as salas 201 e 205.

Ele me olha e se lembra de ser modesto.

– Mas posso estar errado. Nenhuma dessas salas têm atividade na sexta-feira à noite. Deveriam estar vazias.

– A sala 202 tem. – Estico os lábios no meu próprio sorriso preferido, que não é adorável feito o dele, e sim um sorriso que Alex diz que um dia matará a nós dois. – Pronto para interrogar a galera da monitoria de Química?

– Como que nenhum deles tirou a foto? – sussurro no corredor escuro fora da sala. Após as aulas das noites de sexta-feira, os inspetores desligam as luzes e só as monitorias sobrevivem acesas no prédio inteiro. – Nós esquecemos de perguntar a alguém?

– Não. – Alex rola a lista que fizemos na tela do seu celular, encostado despreocupadamente na parede escura. – Essas foram todas as pessoas que estavam na monitoria do último dia 22, segundo as testemunhas.

– Então alguém está mentindo! Se não, quem tirou a foto do vulto? Um fantasma?

– O Fantasma foi combater o crime em São Paulo, não lembra?

Desvio os olhos da janelinha da porta, que vaza um quadrado de luz para o chão do corredor, só o suficiente para repreendê-lo pela piada ruim. Ele dá de ombros, secretamente orgulhoso de si mesmo. Piadas ruins são o seu superpoder.

Uma voz abafada nos interrompe:

– Vou ao banheiro e já volto.

Me afasto e a porta se abre. Uma das garotas que já entrevistamos sai e a fecha com cuidado atrás de si. Se aproxima de nós na parte sombria do corredor e diz baixinho, porém com firmeza:

– Eu não queria comentar na frente dos outros, mas acho que sei quem vocês estão procurando.

Alex e eu nos entreolhamos. Ele desencosta da parede e viramos para ela, prontos para o serviço.

– Quem é? – pergunto.

A garota espia a porta fechada, a luz que escapa da janela acentuando seu perfil. Volta para nós.

– O Felipão do terceiro ano. É ele que vocês querem.

Franzo milimetricamente as sobrancelhas, contendo minha surpresa.

– Ele não está na nossa lista de pessoas que frequentam a monitoria de Química – observa Alex.

– Porque ele vem – a garota entorta a cabeça –, mas nunca *entra* na sala.

– E o caso faz mais uma curva em direção ao mistério – aponta Alex com voz de dublador.

– Para de narrar a investigação como se fosse livro da Agatha Christie, Alex – reclamo.

– O Felipão e a monitora de Química, a Giovana, estão se pegando – continua a garota, nos ignorando. – Não sei se vocês repararam, mas, ao contrário dos outros monitores, a Giovana sempre deixa o celular em cima da mesa enquanto tira as dúvidas dos alunos. Assim que a tela pisca, que é coincidentemente o momento em que o Felipão aparece fazendo hora no corredor, ela diz que vai ao banheiro. Fica superóbvio, já que a Giovana era a fim dele desde o ano passado, antes de se formar e começar a faculdade. A gente se faz de desentendido, mas todo mundo sabe que "banheiro" é sinônimo de "trocar saliva com o moleque" na sala 201.

– Se isso for verdade – comenta Alex–, então qualquer um dos dois pode ter tirado a foto.

Algo espeta minha memória.

– De fato, a monitora deixa o celular em cima da mesa – digo devagar. – Reparei nisso porque é o mesmo modelo que o meu avô usa há sete anos. E um modelo ferrado desse jeito nunca conseguiria tirar uma foto à noite, mesmo uma foto ruim como a que vimos.

– Então foi o Felipão – conclui Alex.

Assinto com a cabeça.

Só que algo ainda não se encaixa nessa história.

– Por que você está nos contando isso? – pergunto para a garota, desconfiada. Já aprendemos que informação valiosa nunca vem de graça. – A esta altura do campeonato, eu já sei bem que ninguém quer me ajudar por pura e exclusiva boa vontade. Ou você tá mentindo pra ferrar o menino e a monitora?

– Não tô! – A garota morde os lábios. Parece que não vai dizer mais nada. Grande engano meu. – Eu só acho chato pra caramba ter que esperar até oito da noite a monitora voltar pra corrigir minhas respostas. Não quero estragar minha nota do Enem por causa da libido alheia, não! Talvez, se vocês forem falar com os dois e eles perceberem que o mundo inteiro descobriu, a Giovana fique com receio de a mandarem embora e pare com isso. E eu *preciso* que parem. Ano de vestibular é vida ou morte. Se eu tiver que destruir alguns peguetes no meu caminho para Medicina, sinto muito, mas faz parte.

Alex está com as sobrancelhas quase coladas no cabelo.

– Talvez depois desta investigação a gente precise se preocupar em proteger o colégio dos próprios alunos – ele comenta.

– Além do mais – continua a garota. – O Felipão é um tremendo *boy lixo* e não merece a Giovana.

São todos motivos ligeiramente malignos, porém a história dela bate.

— Alex — viro para o meu amigo –, me conta o que sabe sobre o Felipão.

— Vai lá e fala com ele — insisto com Alex na noite da segunda-feira seguinte, observando Felipão com o resto do time de vôlei enrolando no portão do colégio na hora da saída. Eles têm uma bola (por algum motivo, garotos como ele estão sempre na onipresença de uma bola) e comparam posições de perna, fingindo que vão chutá-la, enquanto atrapalham o caminho dos demais alunos do terceiro ano, que tiveram período integral naquele dia e, diferente de nós dois, só querem ir embora para dormir.

(Bom, talvez Alex queira. Ele dorme nove da noite se deixar, tal qual um idosinho.)

— Eu não quero falar com ele — responde Alex, ajeitando sua mochila cuidadosamente nos ombros para "evitar a escoliose". — Não sou amigo dele.

— Que mentira. Você é amigo de todo mundo.

— Não dele. Não ouviu a garota X9? Ele é o maior *boy lixo*.

Às vezes acho que sou a única pessoa que leva o mundo a sério.

— Não importa o quão ruim esse garoto seja — afirmo. — Entre o Nuclear, um *supervilão*, e ele no nosso colégio, prefiro mil vezes o embuste do Felipão. Pelo menos ele não é um monstro psicopata que riria dos nossos corpos mortos estirados no chão.

A expressão despreocupada de Alex se dissipa em algo pesado.

Melhor assim.

Corto a multidão de alunos saindo até o time de vôlei, com Alex na minha cola.

— Aê, Felipão! — chamo. — Tudo bem? Posso falar contigo um segundinho?

Ele me olha como se eu fosse uma alienígena tentando estabelecer contato. Somos de turmas diferentes do terceiro ano, por isso praticamente somos mesmo de planetas diferentes.

– É sobre uma dúvida de Química que não deu pra gente tirar no outro dia – explico. – Na *monitoria*.

Demoro na última palavra e a pele bronzeada do garoto empalidece. Ele diz para os colegas irem na frente e eles o obedecem, deixando-nos sozinhos.

– Não sei do que estão falando. – Felipão se encolhe contra o muro do colégio que faz margem com uma rua deserta, a que quase nenhum aluno pega para voltar para casa. – Eu não tirei essa foto.

– Tirou sim. – Desligo a tela do celular, guardando-o no bolso do meu *jeans*, e entrelaço os dedos na frente do corpo, calma. – E mandou para os seus amigos, e algum deles mandou pra alguém, que mandou pra alguém, que chegou inevitavelmente na Paty das Provas. E agora estamos aqui.

– Vocês são malucos. – Ele descola as costas da parede e faz menção de fugir.

Alex dá um passo casual cortando seu caminho e cruza os braços. Felipão sobe e desce os olhos, lembrando que o outro é um dos garotos mais altos e fortes do colégio, e desiste de se mexer.

– Você deixou seu rastro por todos os lugares, Felipão – continuo. – Nem adianta negar agora. É melhor cortar logo para a parte em que você ajuda a gente.

– Não posso ajudar com o que não sei.

Preciso me controlar para que meus dedos entrelaçados não virem punhos.

– Você prefere que a gente vá conversar com os seus pais, então? – pergunto. Eu vim preparada. Ninguém interroga uma testemunha sem antes pesquisar como fazê-la dar as respostas certas. De fato, o rosto de Felipão se encolhe como se tivesse tomado um golpe. – Eles acham que você realmente vem para a monitoria sempre, não acham? E por isso você mantém essa farsa nas redes sociais, postando foto com #monitoria e #vemEnem toda sexta-feira. Seria uma pena se eles descobrissem que não é verdade.

Talvez chantagem seja golpe baixo? Talvez. Talvez Alex esteja encarando a parte de trás da minha cabeça de um jeito desaprovador? Com certeza. Mas é pelo bem do colégio. Sei que estou certa e preciso fazer isso.

Depois todos vão entender.

– Tá bom, eu tirei a foto! – confessa o garoto, olhando para os lados como se calculasse desesperadamente suas chances de fuga. Não são muitas. – Por tudo o que é mais sagrado, meus pais não podem saber que é por causa da Giovana que eu tenho ficado na monitoria.

– Ninguém vai saber – digo – se você nos contar direitinho o que viu naquele dia. De onde veio o vulto? Pra onde ele foi? Parecia com alguém que você conhece?

– Você não viu a foto? – O garoto franze as sobrancelhas queimadas de sol. – Olha a distância que eu estava. Não tenho como saber essas coisas. Não dava pra ver quase nada.

– Como você sabia que ele iria aparecer naquela hora?

– Por que eu saberia isso?! Tenho cara de vidente, por acaso?

– O Vidente tá em Brasília, no Conselho Nacional de Heróis – comenta Alex, prestativo. Ambos o ignoramos.

– Então por que diabos estava com a câmera pronta exatamente na hora certa? – insisto.

Felipão passa a mão pelo cabelo, meio sem jeito, meio orgulhoso.

– Eu só dei a ideia para a Giovana de a gente tirar umas fotinhos nossas. Pra lembrar em casa e tal. Mas ela não curtiu e voltou para a sala. Eu ainda estava com o celular pra fora, *entre outras coisas* – ele sorri, e quero queimar meus olhos e ouvidos –, quando vi o maluco no terraço.

Alex balança a cabeça para mim. *"Boy lixo"*, ele diz quase telepaticamente.

– Você não me obrigou a saber disso à toa – digo para Felipão, desentrelaçando os dedos. Sucumbindo aos punhos. – Não é possível que você não tenha visto nada!

– Sei lá, estava escuro! Mas, pra eu enxergar tão longe, era uma pessoa alta, tipo você – ele indica Alex com o queixo, então aperta os olhos. – Ei, você não estava no colégio nesse dia também?

Alex entorta a cabeça, sem responder.

– Estava sim! – continua Felipão. – Eu te vi entrando quando cheguei, de noite. Por que ela não te interroga?!

– Você estava no colégio nesse dia? – pergunto para Alex, sentindo as rédeas da situação, que seguro sempre com tanta força, escapando de mim.

Mas ele apenas responde para o *boy lixo*, como se fosse óbvio:

– Se eu tivesse visto algo, teria dito.

– Então nenhum de nós sabe de nada. – Felipão se volta para mim. – Satisfeita? Mais alguma pergunta?

Me perdi na discussão e não consigo organizar as informações a tempo de responder.

Felipão aproveita a deixa e escapa, murmurando "Malucos do caramba".

Desta vez, nesta investigação, quem fica desesperada e sem chances de fuga sou eu.

– Por que você não me contou que estava no colégio no dia do vulto? – indago enquanto caminhamos para nossas casas, a quarteirões de distância da escola suficientes para que nenhum aluno nos ouça.

– Eu pensei que você soubesse – responde Alex, calmo como sempre. – Eu *sempre* tô no colégio. Você sabe a quantidade de esportes e atividades complementares que eu faço.

– Você podia ter me lembrado! Ou feito algum comentário! Até uma das suas piadas ruins seria melhor que nada. Tá, talvez não fosse.

– Mas eu comentei. – Ele para na faixa de pedestres e espera o sinal verde para atravessar a rua. – É você que só presta atenção em cinquenta por cento das coisas que eu falo.

– Não é verdade! – Já que não vem carro, atravesso no vermelho mesmo. – Eu só presto atenção em cerca de quarenta por cento. E não é só do que *você* fala, e sim do que *todo mundo* fala.

Alex me segue olhando para os lados repetidamente e me apressando até chegarmos à calçada do outro lado.

– O que você estava fazendo lá, afinal? – insisto. – Não tem quase nada acontecendo no colégio na sexta à noite. Ninguém é maluco a ponto de querer *sextar* na própria escola. Só o pessoal de Química, é claro. E você não estava com eles.

– Eu fui na monitoria de Matemática.

– Ah, sim, o pessoal de Matemática é maluco também.

Analiso Alex de canto de olho enquanto passamos em frente à padaria do Seu Luiz. Ele está namorando os sonhos na vitrine, aqueles sem graça que só têm doce de leite por cima e massa pura, sem recheio, mas por algum motivo ele continua os comprando.

– Por que você foi na monitoria de Matemática? – pergunto. – Você já sabe tudo.

– Eu sei justamente porque vou na monitoria de Matemática, ué.

– Hummm.

Atravessamos a próxima rua, que não tem semáforo. Sinto que Alex quer pegar na minha mão e me levar feito criança. Uma parte de mim gostaria que o fizesse, enquanto a outra se sente humilhada.

– Você sabe que eu não sou burra, né? – provoco. – Me fala a verdade sobre o que estava fazendo no colégio.

– Eu já falei.

– Por que você não quer me contar? Logo eu, que te conheço mais do que você mesmo! Prometo que não vou te julgar.

Ele ri consigo mesmo, curto e seco.

– O quê? – reclamo. – Eu tô falando sério! Você pode me contar qualquer coisa!

Alex para de andar e fica para trás. Viro para ele. Espero que vá retrucar com algum argumento implicante, mas ele só me encara de volta. Lambe os lábios, como se tivesse ficado com a garganta seca.

– O que foi? – pergunto, apreensiva. – Você tem mesmo algo pra me contar?

Estamos parados ao lado do ponto de ônibus. A luz de um *outdoor* eletrônico é tão forte que reflete brilhos azuis na pele de Alex. No mel dos seus olhos. Como se Alex fosse feito de pedaços de céu. Não o céu azul-marinho de agora, mas o céu do meio-dia. Poderoso e infinito.

Porém nublado, no momento.

– É sobre o Águia Azul? – insisto, cada vez mais preocupada.

Alex sorri um pouco com isso, deixando a tensão cair.

– É sempre sobre o Águia Azul pra você – diz ele, um pouco amargo.

– Claro que é! Falar com ele é a nossa melhor chance de impedir que o Nuclear cause um desastre. Você viu o que compartilharam sobre o Nuclear essa semana? Que tem um laboratório onde faz experiências com as pessoas que sequestra?

O garoto arregala os olhos por um milésimo de segundo, assustado, então pensa melhor e franze a testa:

– Não vai me dizer que você acreditou?

– Ouvi dizer ainda que aquelas linhas de energia verde na armadura do Nuclear são cérebros humanos liquefeitos e expostos a material radioativo – assinto com a cabeça enfaticamente.

– Faz até mais sentido do que a teoria anterior, de que o capacete dele é verde porque é feito de ossos humanos misturados com urânio.

– Deixa só eu te lembrar que espalhar *fake news* de super-heróis e política é meio que o esporte nacional número um no momento.

– Mas e se for verdade?! E se as próximas pessoas que ele capturar pra fazer experimentos ou pra tirar o cérebro ou sei lá forem os alunos do nosso colégio?

Um mal-estar gelado embrulha meu estômago, porém Alex só puxa a boca para o lado, cético, e diz:

– Essa busca pelo herói tá te deixando obcecada a ponto de acreditar em correntes de *chat* enviadas por pessoas com "tio" no nome do contato.

– Não tô obcecada, tô desesperada! – Passo uma mão no rosto. – A nossa investigação no colégio não deu em nada, Alex. Estamos sem pistas. NADA. Eu não tenho nenhuma ideia de quem é o Águia Azul. E já vi todos os vídeos do universo sobre ele. Decorei todas as informações da sua ficha oficial do cadastro de heróis. Sei de cor todos os lugares onde apareceu nas últimas semanas. Como ele luta, pra que lado esquiva. Caramba, se bobear sei até a cor da cueca dele, e nada disso, *nada*, me ajudou a desvendar a sua identidade secreta.

– A vida dos detetives era mais fácil quando os heróis usavam a cueca por cima, Aninha?

– Eu tô falando sério, Alex! Por que você tem que ficar fazendo piada com tudo o que eu faço?! Já não basta tentar me convencer de que estou errada a cada passo que eu dou?

– Foi mal, não queria te chatear. – Ele coça a cabeça. – Eu não estou tentando te convencer de que está errada, eu só...

– O quê?! Quer sabotar a investigação?!

– Claro que não! – Ele balança a cabeça. – Eu só acho que esse é um daqueles momentos em que você mete algo na cabeça e quer provar a todo custo que estava certa, independente do que tiver que fazer ou de quem tiver que sofrer.

– Mas eu *estou* certa! Não preciso provar isso pra ninguém! Nem pra você, inclusive, que é a última pessoa pra quem pensei que teria que provar algo, já que *presumi* que confiava em mim. – É claro que eu confio, mais que qualquer outra pessoa no mundo! É por isso que me preocupo! – Ele pega uma das minhas mãos e continua, suave: – Ana, mesmo se tiver um herói entre os alunos, você não acha que ele já sabe do perigo? E que já está fazendo de tudo para que nada de ruim aconteça? Para proteger o colégio?

Encaro nossas mãos. Seus dedos estão quentes. É como vestir uma luva. Vou pedir que faça isso da próxima vez que formos para a casa dos seus pais na Serra.

– Não temos como saber se ele realmente está protegendo o colégio se não falarmos com ele – insisto.

– Mas proteger é o que um herói de verdade faz.

Enfim subo os olhos para o garoto:

– O que você sabe sobre ser...

Alex vira o rosto em direção ao *outdoor* emanando o brilho azul refletido nele e completa por mim:

– ...um herói?

E reparo que o *outdoor* é um anúncio do canal de atendimento do Águia Azul.

Na imagem, o herói aparece flutuando contra o céu no seu traje azul reforçado com titânio e detalhes luminosos na mesma cor. Sua capa aberta dramaticamente pelo vento e seus braços cruzados com orgulho demonstram segurança, dando quase a certeza de que, se pudéssemos tirar a sua máscara, encontraríamos por baixo um queixo robusto e elevado. A chamada entre aspas ao lado dele avisa, em letras garrafais: "NÃO HAVERÁ CIDADÃO INDEFESO ENQUANTO EU DEFENDER O CIDADÃO". Embaixo, o número do canal de atendimento para denúncias e pedidos de socorro.

Tudo isso refletindo no rosto de Alex.

Sendo parte dele.

A sensação é aquela de dar um passo e de repente descobrir que não há mais chão embaixo para me aparar.

– Eu não sei nada – diz Alex enfim, desviando o rosto.

Tento agarrar as peças e montá-las em algo que faça sentido, mas é como se houvesse um tufão dentro da minha cabeça. Fico sem fôlego, então sem estômago, depois sem corpo inteiro. Viro uma casca vazia exceto pelo coração batendo a mil e o raciocínio tentando reconstruir uma realidade inteira em duas ou três piscadas de olhos.

Me lembro de Alex tentando de todas as formas me convencer a não procurar pelo Águia Azul. Me mostrando com prática como subir no terraço do colégio para investigarmos, mesmo que nenhum aluno tenha permissão para ir lá. Escondendo de mim que estava presente na sexta-feira quando o vulto, supostamente da sua altura, apareceu. Indo a monitorias de Matemática sem necessidade.

Então junto tudo às pistas de agora: Alex defendendo com unhas e dentes a motivação do Águia Azul. Depois me olhando com angústia ao tentar me contar algo. E o anúncio, bem ao nosso lado, com o herói de braços cruzados. Exatamente como Alex gosta de ficar.

Mas eu não precisaria de nenhuma dessas pistas se houvesse tido a capacidade de enxergar a prova mais gritante e absolutamente óbvia de todas, que estava sendo esfregada na minha cara não só desde o início da investigação como desde o início dos tempos: que Alex é a pessoa mais bondosa e heroica que já conheci.

– Vamos pra casa – pede ele, cansado. Sem me encarar. – Você sabe que eu não gosto de ficar até tarde na rua.

– Não comigo, pelo menos.

– Ahn?

Não me explico, apenas desvencilho minha mão das dele.

Senhor do céu. Como pude ser tão ingênua?

– Esqueci que preciso comprar uma coisa para a minha mãe – digo, sem nem me preocupar em criar uma desculpa elaborada. – Vai na frente.

E me afasto antes que ele possa me seguir.

Chat com Alex:

> Eu sei q vc faltou hoje só porque era aula de Química, Aninha. Não dá pra esconder de mim. Rsrs
>
> 08:24

> Sério, você tá bem? Aconteceu alguma coisa?
>
> 10:15

> Alguém tá dormindo mais q a cama hoje, hein? Espero que não tenha passado a madrugada vendo vídeo de gente confeitando bolo de novo. Já basta o meu pai.
>
> 10:47

> Passei aí no caminho pra casa depois da aula pra ver se você tá bem, mas sua mãe disse q passou mal de noite e q tava dormindo.
>
> 14:47

> Eu comecei a ficar preocupado, mas aí a sua mãe perguntou se essa era "mais uma das nossas briguinhas".
>
> 14:49

Aninha, a gente brigou?

14:49

Faz anos que isso não acontece (não sério, eu acho), então pode ser q eu esteja fora de forma.

14:50

Se a gente brigou, me avisa, pfvr, pra eu argumentar direito.

14:50

A menos que você deixe q a gente pule direto para a parte de pedir desculpa logo. O importante é você ficar bem.

14:51

Eu tô atualmente olhando utensílios de confeitar bolo no Google pra ver se a mera menção do tópico conjura uma resposta sua.

16:24

Brinks, eu tô olhando porque meu pai pediu. Mas ainda conta.

16:25

Já são 7 da noite e você EVAPOROU. Ana, você tem NOÇÃO do quanto eu tô preocupado? Você nunca demorou mais de 10 minutos pra responder uma mensagem!

19:12

Ou 3 minutos, se for possível responder com um sticker.

19:13

E olha quantas oportunidades de sticker eu já te dei aqui, falando sozinho!

19:13

9 horas. Sem sinal de vida.

21:01

No ano em que a gente tá, ficar tantas horas sem responder mensagem é suficiente pra declarar alguém como morto.

21:03

Ugh, não gosto nem de fazer piada com isso...

21:04

Vou passar aí e levar o bolo de milho do meu pai. Se vc estiver doente mesmo, ele cura qualquer coisa. Pode não curar o corpo, mas cura a alma.

21:08

Assim que ficar pronto eu saio.

21:08

Tô saindo.

21:36

Checa o seu *e-mail*.

21:37

ALELUIA

21:37

Que *e-mail*??

21:37

Eu já sei de tudo sobre você e o Águia Azul, Alex.

21:44

Te vejo no colégio em quinze minutos.

21:45

Aninha??

21:45

Descobrir que uma das pessoas que você mais ama é um super-herói parece uma das coisas mais legais que poderiam acontecer contigo (logo atrás de, bom, você mesmo se descobrir um super-herói). De fato, eu estaria animadíssima com as possibilidades de Alex se não fosse a contrapartida dessa descoberta.

Descobrir que uma das pessoas que mais amo mente para mim todos os dias da nossa vida.

Não é uma mentira comum. Uma mentira mensurável. É uma mentira nebulosa, sem forma, que você passa horas tateando, sem entender onde ela começa ou acaba. Quais são os limites da verdade?

Faz mais de um ano que o Águia Azul apareceu na nossa cidade. Foi só a partir daí que Alex começou a esconder tudo de mim ou ele teve algum período de treinamento antes do disfarce? Estudou para tirar a licença de herói sozinho, mesmo que nós sempre nos preparemos juntos para qualquer prova? A família dele sabe?

Mas de toda a lista de perguntas crescendo infinitamente na minha cabeça, apenas uma delas realmente importa, no fim das contas. A pergunta mais dolorosa de todas.

Por que ele não me contou?

Isso não é algo que era para acontecer entre nós. *Mentiras.* Eu o amo. E sei que me ama também. Nós somos parceiros nesta vida. Não era para uma fantasia de super-herói entrar no meio de nós dois.

E não vai entrar. Eu me recuso a deixar que isso atrapalhe quem nós somos juntos.

Mas não antes de uma briga épica, porque eu passei um dia inteiro alternando entre ficar arrasada e irritada, entre querer chorar ou estraçalhar o travesseiro, e ele vai *ter* que me ouvir. Espero que os seus superpoderes incluam imortalidade, porque eu vou *matar* o Alex.

E depois vamos ter que decidir o que fazer sobre a segurança do colégio etc. Afinal, é por causa disso que começamos esta investigação toda, né?

Então apoio os cotovelos na mureta do terraço do colégio e observo o pátio lá embaixo.

Esperando.

Eu sei quem você é. Precisamos conversar.
Me encontra às 22h hoje no terraço do Santa Marta.
Ana

São poucas palavras, mas demorei uma hora para escrevê-las e mais meia para tomar coragem de enviar para o *e-mail* do canal de atendimento do Águia Azul. De Alex.

Enfim confrontei a mentira. Agora, não tem como voltar atrás.

O terraço é o espaço aberto mais deserto que encontrei no bairro para ele aparecer de herói sem ninguém nos ver. E parece mesmo uma boa escolha, já que a vizinhança está silenciosa e nem o vento ousa soprar, como se a própria noite estivesse esperando Alex aparecer. O único ponto negativo é que eu quase quebrei a perna pulando o muro para entrar no colégio fechado, mas isso é detalhe. Aliás, como Alex consegue fazer isso com tanta facilidade?

Ah, sim. Claro. Ele é um super-herói. É difícil de me acostumar.

Confesso que gosto da ironia de confrontá-lo aqui. Onde começamos a investigação. Onde vamos terminá-la.

O vulto surge da beirada do terraço de súbito. Me jogo para trás com o susto, perdendo o equilíbrio e caindo no chão. Me levanto apressada. Ergo o rosto para ele. Um raio de adrenalina pulsa do meu peito até a ponta dos meus dedos.

O herói flutua acima do terraço. Sua capa de camuflagem escorre para baixo dos seus pés, na falta de vento, e os detalhes luminosos no seu traje escuro cintilam contra o preto do céu.

Sua expressão atrás da máscara azul é indecifrável, mas seu rosto está sem dúvida virado na minha direção. Me observando. Nunca vi um herói tão de perto a não ser na parada do Dia do Heroísmo. Trinco os dentes para não deixar meu queixo cair. É só o Alex.

...O Alex sempre foi tão *grandioso* assim?

– Ana? – diz ele. Sua voz está grossa e metálica, alterada pelo protetor de identidade usado pela a maioria dos heróis não revelados. Eu definitivamente vou pedir para brincar com esse negócio depois. Quando eu não estiver mais querendo esganar o Alex, no caso.

– Nós precisamos conversar – digo, forçando minha própria voz a sair. – Eu juntei as pistas e botei meus neurônios pra funcionar. Descobri tudo. Não que tenha sido difícil, já que você não se preocupou muito em se esconder.

– Tudo? – Ele se aproxima devagar até que seus pés repousam suavemente na mureta no terraço: primeiro as pontas, depois as solas. – E o que vai fazer com essa informação?

– Te dar uma boa surra, primeiramente. – Apoio as mãos na cintura. – Você achou mesmo que conseguiria mentir pra sempre?

– Tudo o que faço é pelo bem de todos. Você precisa entender.

– Para de falar besteira! – grito. – Não tem motivo que justifique você mentir. É errado. Eu tenho o *direito* de saber quem você é.

Sua máscara me encara em silêncio. Indecifrável.

– Tira logo essa máscara idiota – reclamo. – Eu já vi a sua cara um milhão de vezes. Não vai me assustar, pode ficar tranquilo.

– Não posso fazer isso.

– Você vai me fazer subir até aí pra arrancar ela?

Faço menção de me aproximar, mas ele levanta uma palma proibitiva na minha direção. A mesma palma com a qual lança seu ataque mais famoso, o Raio Azul. Vejo em detalhes os revestimentos reforçados da luva para aguentá-lo.

— Como eu disse — retoma ele —, tudo o que faço é pelo bem de todos. Não posso deixar que saiba minha identidade secreta. Milhares de pessoas que salvo por dia dependem dela.

— Bom, tarde demais.

— Assim como não posso correr o risco de você contar o que sabe para o mundo — continua ele, com uma pitada de tristeza transparecendo na sua voz metálica.

— Por que eu contaria? Quero te esganar, não...

Mas Alex continua com a palma aberta para mim.

E ela começa a acender, sangrando luz azul.

— Espero que entenda — diz ele.

Então percebo que Alex vai atirar em mim.

O quê...?!

Algo gigante o acerta, arrancando-o do terraço junto com parte da mureta. Dois BUM fazem o chão tremer quando ele e o "algo gigante" — um *carro*?! — aterrissam no pátio lá embaixo.

— Alex! — grito, correndo até o buraco na mureta.

— Desculpe — responde sua voz sem qualquer distorção, mas não de lá de baixo.

Atrás de mim.

Viro a tempo de ver o garoto de armadura escalando pelo lado oposto do terraço. Suas luvas de metal articulado enfiam os dedos no cimento como se o concreto fosse massa de pão. Elas crescem pelos seus punhos com pequenas barbatanas, pontudas e metálicas, e se transformam em pistolas de fótons no topo de cada antebraço do traje. As células de energia delas brilham no mesmo verde radioativo que escapa dos fios de combustível correndo pela armadura para alimentá-la, como se alguém tivesse descoberto como transformar luz em líquido. Na cabeça, com o visor inteligente do capacete retraído, está o rosto de Alex.

O supervilão Nuclear.

Não. Esse não pode ser o meu Alex.

– Eu queria te contar – diz ele, me encarando com o rosto abaixado. Pesado pela dor de mentir para mim.

E eu sei. Vejo nos seus olhos, lendo aquela linguagem só nossa, de falar sem falar nada, que aperfeiçoamos ao longo dos anos.

Este é o meu Alex.

Mas como ele pode ser um vil...

Um gemido gutural e mecânico corta a noite vindo do pátio.

– Por que você jogou um *carro* nele?! – brigo com Alex, e quem diria que essa seria a primeira da minha infinidade de perguntas a escapar.

– Porque ele ia te matar! E as únicas coisas que tinham perto eram os carros ou as árvores, e eu não vou machucar uma árvore.

Este é *definitivamente* o meu Alex.

– Você podia ter pelo menos me dito *onde* no colégio você estava! – É a vez dele de brigar comigo, se aproximando. As ligações de propulsão do traje fazem um barulho de bomba hidráulica enquanto se movem. – Se eu tivesse te achado um segundo atrasado...

O terraço brilha em azul. Alex salta e se coloca na minha frente, já atirando com os *lasers* verdes das suas pistolas na direção do Águia Azul, que surge como um raio voando para o céu.

– Você não pode machucar ele – grito acima do barulho. – Ele é um herói!

– Heróis não atiram em garotas indefesas. – A voz de Alex está alterada.

Ele fechou o visor do capacete, pronto para a luta.

Os raios de luz azul começam a zunir na nossa direção. Pela segunda vez na noite, deduzo que, sim, meu caro Watson, parece que vou morrer. Alex cria um escudo de energia na nossa frente e os raios ricocheteiam. Fazem buracos de cimento queimado no chão e nas muretas que acertam. O herói nos sobrevoa em círculos, e Alex guia o escudo para acompanhá-lo.

– Que encontro conveniente – o Águia Azul fala lá de cima.

– Eu preciso tirar você de perto desse maluco – Alex murmura entre os dentes.

Não digo nada, preocupada apenas em não morrer.

– Você não pode usar esse escudo pra sempre – grita o Águia Azul. – Já quebrei ele outras vezes e posso quebrar de novo. Nós sabemos que eu ganho no duelo de fôlego, Nuclear.

– Só porque não consegue ganhar no duelo de inteligência – rebate Alex.

Então, um pequeno furo no escudo do Nuclear se abre e ele atira no Águia Azul através dele. O laser é pequeno, mas acerta o ombro do herói e explode, lançando-o para longe no céu.

– Você matou o Águia Azul?! – pergunto.

Alex se vira e me pega no colo. Dou um grunhido de susto. Sua armadura é mais quente do que a pele humana.

– Ah, se fosse tão fácil... – diz ele, correndo comigo na direção da escada para o colégio.

Voamos pelos corredores do terceiro andar: 301, 302, 303...

Uma explosão soa a distância – mas não o suficiente – na direção das salas da direita. Luz azul brilha pelas janelinhas das portas de lá.

Estapeio o peito de Alex e aponto para o lado oposto:

– 307, 307, 307!

Ele entra na sala, me põe no chão e fecha a porta atrás de si.

– Essa sala tem vista pros fundos – sussurro, porque me lembro de ter visto saindo daqui a luz azul enquanto passava pelo estacionamento dos professores. – Vai ser mais discreto de fugir pela janela.

– Eu sei bem disso. Mas não vou sair contigo no campo aberto de novo, onde ele pode te atacar. Vamos esperar aqui um minuto, ele provavelmente vai achar que fugimos quando o acertei, e vai desistir. Eu o conheço, ele é um covarde. – Então Alex continua para si mesmo: – Garrincha, recarregar. Ativar *superboost*.

O traje murmura algo baixo para o ouvido dele e sua luz esverdeada brilha com mais intensidade, obedecendo-o.

Mesmo que ela não seja tão forte a ponto de cegar, é tudo o que consigo enxergar enquanto somo dois mais dois.

Não foi o Águia Azul que as pessoas viram no colégio, e sim o Alex como Nuclear.

Espera, essa conta não bate. A luz de Alex é verde.

O garoto atravessa a sala, arrastando com cuidado as carteiras para fora do caminho, e se agacha na lateral de uma das janelas, abrindo-a sem fazer barulho. Os postes de iluminação lá fora, que pareciam pontos esverdeados através do vidro, ficam amarelos quando ele sai do caminho.

O vidro do colégio. A película *insulfilm* que resfria a luz do sol pelas janelas. Foi ela que fez a luz de Alex parecer azul para mim.

Então não havia, de fato, um super-herói entre os alunos.

Havia um supervilão.

Absorvo essa informação e meu corpo recua em resposta.

O Nuclear é cruel e manipulador. O inimigo número um da sociedade. Um verdadeiro arauto da destruição e do caos. Ou pelo menos foi isso que fui ensinada a acreditar. Pelas notícias compartilhadas, pelas redes sociais, até mesmo pelo boca a boca. Não me lembro. E, agora, o Nuclear das histórias está aqui, do outro lado da sala onde eu estou.

Seu capacete vira na minha direção e um arrepio me congela. Então ele recolhe o visor de novo, e vejo a expressão preocupada de Alex.

– Ainda ouço pelo meu capacete que o Águia está espreitando lá fora, mas está ficando distante – ele me atualiza.

Alex, que me leva bolo de milho sempre que estou ansiosa com algo. Alex, que tenta segurar a minha mão para atravessar a rua por medo de eu me machucar. Alex, que pede o troco do lanche do intervalo em notas de dois reais, para sempre ter algo para dar para os artistas de rua.

Alex, bondoso e gentil.

E bondade – bondade de verdade – não é algo fabricável. Não é algo que se cria para uma mentira. Tem que vir do coração.

Atravesso a sala na sua direção.

Existe um nível de confiança acima de todos os outros. Um nível que só se constrói com anos de convivência e parceria. Que só persevera entre pessoas que verdadeiramente se amam e querem o bem uma da outra.

Ajoelho ao seu lado.

Alex e eu tínhamos esse nível. Ainda temos. E isso significa que, em vez de acreditar em tudo o que eu sempre soube sobre o mundo, vou escolher, agora, acreditar nele.

Se Alex é o Nuclear, é porque tem algum motivo. E talvez tudo o que eu sempre soube sobre o mundo esteja errado.

O que não significa que eu não esteja pê da vida com ele por ter mentido.

– Por que não me contou?! – Estapeio sua armadura.

– Ai, ai, para! – Ele tenta se esquivar.

– Fala logo! – Continuo atacando. – Sei que não tá sentindo nada porque você tá numa droga duma roupa de robô, então para de se fazer de tonto e me responde!

Algo no meu rosto, ou em como minha voz falha, faz com que ele pare de fingir a dor. Paro de estapeá-lo e seguro o braço e o ombro do seu traje, como que para impedi-lo de fugir antes de me contar a verdade.

– Não é óbvio? – sussurra ele. – Eu sou o Nuclear. Você o odeia.

– E eu não tenho motivo pra odiar, por acaso? Aquelas barbaridades todas que falam do Nuclear... de *você*... São verdade?!

Uma ponta de mim ainda tem medo de ouvir a resposta, mas Alex nem hesita.

– É claro que não são verdade! Por que eu iria comer o cérebro de criancinhas?! Lembrando ainda que eu sou vegetariano, e neste caso canibalismo seria barbaridade em dobro.

– Então eu não entendo! Por que as pessoas falam essas coisas de você?! Por que compartilham essas mentiras?!

Alex respira fundo e desvia os olhos para a janela. Lá fora, a noite voltou ao silêncio de antes da tempestade. Não há mais o som do Águia Azul cortando o céu, nem de explosões, nem o brilho da sua luz.

– Acho que ele desistiu por hoje – conclui o garoto. – Ele sempre faz isso. É meio preguiçoso.

– Ver você falando assim de um dos heróis mais aclamados da atualidade só me deixa mais confusa.

Alex se senta com o traje no chão da sala. Eu daria risada da cena se não estivesse com uns três litros de adrenalina correndo no sangue.

– O mundo é mais complicado do que você pensa – explica ele, tentando encontrar as palavras. – O Águia Azul e o pessoal dele... Digamos que eu e a minha família (e sim, minha família tá envolvida nisso) não concordamos com o seu conceito de "fazer o bem". Tem muita podridão envolvida no método deles, vide o Águia Azul tentando te calar agora há pouco, e isso não chega fácil na maior parte da população. Mas as mentiras chegam. Porque eles, e o pessoal com recursos e interesses por trás, sabem que eu e minha família também somos poderosos e queremos proteger a população, e por isso montaram toda uma estrutura de desinformação para colocar a opinião pública contra a gente.

Cada *byte* de processamento do meu raciocínio busca desesperadamente por argumentos para provar que Alex está me enganando, que está errado. Qualquer desculpa para impedir que toda a realidade que eu conheço se estraçalhe em mil pedaços. Mas sei no meu coração que ele fala a verdade, então enrijeço minha pegada no seu ombro e me ancoro às suas palavras.

– Faz pouco tempo que minha família aprovou que eu usasse o traje – continua ele –, e eu caí de paraquedas no meio da guerra. Logo que comecei, já me chamaram de Nuclear e distorceram tudo e... Acho que perdi o momento de te contar. Quando vi, você já estava acreditando naqueles absurdos.

– Não importa! – Me aproximo dele. – Você devia ter me contado.

– Ana, você mandava notícias pra *mim*, no *nosso chat*, dizendo que eu era desumano! E se eu te contasse e você passasse a me odiar?!

– Como eu iria te odiar? Eu te amo!

Algo no seu corpo treme sob meus dedos, e tenho a impressão de que não é o traje.

– Eu também te amo – ele diz de volta. – Mas você arranca a cabeça das pessoas de vez em quando. Quando acha que está certa. E eu não queria perder a cabeça, porque aí não teríamos como conversar depois e, bom, ficar juntos.

Seguro o rosto dele pela abertura do capacete.

– Olha pra mim. Eu tô muito, muito magoada que você mentiu todo esse tempo. Mas eu sempre, *sempre* vou confiar em você.

– Eu sei disso. – Algo cintila nos seus olhos, mesmo que as únicas luzes na sala sejam a que entra pela janela dos postes lá fora e o brilho verde das suas correntes de energia. – Eu sei.

– Estamos nisso juntos, não estamos? – pergunto.

– Sempre. – Ele encosta a testa do capacete na minha.

E a sala explode em cacos de vidro e luz azul.

Quando acordo, não sou nada.

Então sou toda a dor do mundo.

Abro os olhos, mas minha visão dança. Está escuro. Procuro luz, girando a cabeça com cuidado. Todo o peso do meu corpo parece estar concentrado nela. Encontro o reflexo fraco de algo azul e verde refletido no chão.

Lembro imediatamente onde estou.

Me levanto com os antebraços. Fui transportada para a versão pós-apocalíptica da sala 307. Várias carteiras se tornaram pedaços de ferro distorcido pelos cantos. Tijolos, tubulação e argamassa destruídos estão aparentes nas paredes golpeadas. Em uma delas, há um buraco grande o suficiente para eu enxergar a sala 308. E, nela, outro buraco para a 309.

– Finalmente te peguei – ouço a voz do Águia Azul.

O medo enfia as garras no meu estômago e tenta me prender ao chão, mas não deixo. Vou girando com cuidado, sem fazer barulho, porque preciso encontrar Alex. Preciso saber se ele está bem.

Alex não está bem.

Ele está deitado no chão sob o pé do Águia Azul, que lhe aponta a palma da mão. Apesar de Alex estar com o visor do capacete fechado, as correntes de energia do seu traje piscam erraticamente. Algumas apagam e não acendem mais. As pistolas dos seus antebraços sumiram. Corro o olhar pela sala destruída e as encontro jogadas pelo chão, suas células de energia ainda brilhando suavemente.

– Tenho procurado por você – diz Águia Azul com a calma dos vitoriosos.

– Procurou de um jeito bem lerdo, porque há meses uso o telhado desse colégio para vigiar e você nunca me viu – retruca Alex. Sua falta de fôlego faz brotar outro tipo de medo no meu estômago.

As luzes do seu traje piscam conforme o falso herói aperta o pé no seu peito.

A minha vontade é de dar um tiro nesse filho da mãe.

Tenho uma ideia.

Uma das pistolas arrancadas de Alex está a poucos metros de distância.

– Você e sua família são delinquentes atrapalhando o trabalho dos heróis de verdade – comenta Águia Azul. – Os heróis que não têm medo de punir o mal.

O maldito está ligeiramente de costas para mim. Começo a me mover devagar, me arrastando sem fazer barulho.

– Bater em gente segundo o seu próprio critério não é ser um herói – Alex cospe para ele. – Ser um herói não é punir ou matar pessoas, é salvar pessoas. É proteger.

Estico as pontinhas dos dedos, encosto na arma. A levanto do chão com cuidado.

– Não seja infantil – rebate Águia Azul. – A vida real não é um conto de fadas.

Xingo mentalmente. Não faço ideia de como atirar com armas normais, e esta aqui está a um nível acima de impossibilidade para mim.

Ela não tem gatilho.

Porque o gatilho é Alex e seu próprio traje.

– Todos nós temos que sujar as mãos – continua Águia Azul. – Até os heróis.

Olhe para mim, Alex. Olhe para mim, olhe para mim, olhe para mim.

O capacete dele entorta discretamente na minha direção. Está me checando. Levanto a arma um pouco e assinto. Ele assente milimetricamente de volta.

– É pelo bem de todos – termina o herói, a luz azul sangrando da sua palma. – Espero que entenda.

Aponto a pistola e Alex atira.

Águia Azul antecipa nossa ação e tenta desviar.

Azar o dele, porque sei para que lado ele esquiva.

O laser verde pega no seu peito, explodindo-o para fora da janela. Carteiras são arremessadas para longe pela onda de impacto, e meu próprio corpo choca-se contra a parede oposta. Perco o ar e escorrego para o chão, minha cabeça latejando e minha visão dançando mais uma vez. Quando ela foca de novo, vejo Alex imóvel no chão. Me arrasto com dificuldade na sua direção, levando a pistola com mãos dormentes, e me ajoelho ao seu lado.

— Você tá bem?! — pergunto meio sem voz, passando a mão pelo seu peito. Nenhuma perfuração de destroços. Subo para seu capacete. — Pelo amor de Deus, você tem que me ensinar a tirar essa droga!

Uma das suas mãos enluvadas captura fracamente a minha.

— Fuja — diz ele, sua voz falhando.

— Jamais. — Empunho a pistola. — Prepare-se pra atirar.

Porque ninguém — *ninguém* — machuca o meu parceiro.

Levanto, trêmula, e ando até a janela. Águia Azul está três andares abaixo, se reerguendo de um buraco em uma das vagas do estacionamento dos professores.

— Eu não sei quem você é, porque foi um mal-entendido. — Aponto a pistola para ele da janela destroçada. — Mas sei que não é um herói. Nunca mais chegue perto deste colégio.

— Só se você se comportar, garota. Senão terá que se sacrificar pelo bem maior. Eu não corro riscos desnecessários. — O homem se levanta com esforço, apoiando-se nos cotovelos e joelhos. — Diga a ele que vamos conversar de novo depois.

Então se cobre com a capa de camuflagem e desaparece.

Alex se apoia no que sobrou da janela ao meu lado e mira com a outra pistola arrancada onde o herói estava, porém é tarde demais.

Ele desiste de atirar antes que machuque alguma árvore.

Os pedreiros já estão retirando os destroços da sala 307 na manhã ensolarada seguinte à briga. O som das britadeiras no estacionamento dos professores é só um pouco mais forte do que os *lasers* ainda zunindo nos meus ouvidos. Assistimos a tudo do lado de fora da grade da propriedade, meros dois alunos curiosos que vieram checar pessoalmente por que as aulas foram canceladas até segunda ordem.

— Você acha que ele vai voltar? — pergunto, com minhas mãos enfiadas no bolso do casaco, mesmo que não esteja tão frio assim. Meus braços estão ralados e salpicados de roxo por baixo.

— Bom, quando foram checar as câmeras de segurança do estacionamento pra ver o que aconteceu, pegaram o Águia Azul te ameaçando — responde Alex. — Você não aparece, mas é suficiente. Já falei com a Paty das Provas. Ela vai conseguir essa gravação e minha família vai cuidar de viralizá-la.

— Então, se tudo der certo, o Águia Azul não vai ter coragem de voltar no colégio por enquanto?

Algo nas linhas retas do maxilar de Alex pula quando ele trinca os dentes.

— Não podemos relaxar — diz ele. — O Águia Azul sabe quem você é, Aninha. Mesmo que tenha dito que se confundiu sobre a identidade secreta dele, você vai continuar sendo observada.

Dou as costas para o colégio para esconder que meus joelhos estão tremendo.

— Ainda bem que agora tenho meu próprio super-herói como guarda-costas — digo, me afastando. Arregalo os olhos para Alex, subitamente animada. — Ou uma família inteira de super-heróis, não é? Caramba, nunca vou me acostumar com isso. O seu pai é o quê, afinal? Um supercientista?

— Por que você acha que o bolo de milho dele é tão bom? — Alex me acompanha pela calçada. — É um bolo cientificamente calculado.

Rio com ele, depois dou um soco em seu ombro, porque lembro que na verdade estou é terrivelmente irritada. (É difícil de lembrar às vezes. Alex é adorável.)

— Ai! — Ele se encolhe. — O que eu fiz dessa vez?

— Além de *tudo* — aponto com uma palma genericamente para o colégio —, você me deixou pensar que o Águia Azul estava entre nós e ficou só assistindo ao espetáculo que era o meu papel de trouxa fazendo aquela investigação. E ainda me ajudou, como se fosse uma grande piada!

– Não era uma piada, eu queria te ajudar de verdade!

– Isso nem faz sentido, Alex. Eu estava atrás de, veja bem, *você*.

– Eu acho que... – Ele abaixa a cabeça um pouco. – No fundo, eu queria que você descobrisse. Desculpa, fui covarde. Eu devia ter te contado.

Paro no sinal e desta vez não atravesso correndo.

– Eu... – começo a falar. – Admito que às vezes sou meio radical e posso não ter te dado espaço para contar. Mas não vamos fazer isso de novo, ok? Não é assim que isso aqui – aponto alternadamente para nós dois – funciona.

– Tá certo.

– É claro que tá certo, eu tô sempre certa. – Olho para o céu e respiro fundo. – Foi mal. Força do hábito. Depois dessa história toda, descobri que agora eu estou, aparentemente, apenas "quase sempre certa". "Estatisticamente certa em geral." "O oposto de certa de vez em quando."

– Você sabe que a palavra "errada" existe, não sabe?

Faço uma careta.

– Nossa, Alex. Por que você nunca me contou que estar errado era tão ruim?!

Ele ri. Os pedestres aguardando conosco na rua calma atravessam no sinal verde. Não os acompanhamos.

– Eu estava errada sobre tanta coisa – confesso devagar. – É a primeira vez que tenho a sensação de que tudo é diferente do que eu acreditava. Do que eu lia na internet ou ouvia das pessoas. É como se o mundo tivesse ganhado uma camada a mais de complicação.

– É isso que é virar adulto? – brinca Alex.

– Espero que não, porque é uma sensação horrível.

– Então com certeza é virar adulto.

Não aguento e caio em uma risada curta. Exatamente como Alex queria.

— Bom — continuo, já me sentindo um pouco melhor —, prometo que vou tentar ver a vida com olhos mais atentos a partir de agora. E ser um pouco menos... — faço gestos, tentando enrolar.

— Teimosa? — sugere Alex.

— ...*intransigente*. Então não me deixa errar de novo, tá?

— Errar faz parte da vida.

— Para de ser tão "guru da sabedoria" o tempo todo, pelo amor de Deus! — Reviro os olhos. — Como que eu não percebi desde o início que você era um herói?

Alex me lança aquele seu sorriso de covinha parcial que é a razão primordial de pelo menos sessenta por cento do colégio estar apaixonado por ele.

— Olhando pelo lado positivo — espio o prédio do Santa Marta já no final do quarteirão que deixamos para trás —, pelo menos eu estava certa quando disse que o Águia Azul iria acabar destruindo o colégio.

Alex não acha graça e encara a escola com uma intensidade que atravessa seus muros e paredes e encontra seus destroços.

Eu os encontro também.

— Quando comecei a investigação — prossigo —, cheguei a pensar em, ao encontrar o herói, pedir que saísse do colégio. Para que nos deixasse em segurança.

Percebo os braços de Alex ficando imóveis, o corpo tenso, mesmo que sua voz saia suave quando pergunta:

— Você acha que eu devo ir embora?

Balanço a cabeça.

— Eu estava errada sobre isso também. Acho que você deve ficar. Você não é o nosso risco, é o nosso escudo. Não espero que o Águia Azul volte, mas e se ele voltar? Quem vai nos proteger, o Chapolin Colorado?

— O Chapolin tá trabalhando em Pindamonhan...

– Você entendeu, seu implicante.

Seus ombros relaxam um milímetro.

– Além do mais – continuo, sentindo algo em mim relaxar também –, eu não vou sair do colégio. E você não vai a lugar nenhum sem mim. Afinal, alguém tem que te proteger. Me perdoa, mas às vezes você é um banana.

Alex balança a cabeça e olha para o céu, pedindo ajuda divina para lidar comigo.

– Se depender de você – diz ele –, meu nome de herói seria Homem-Banana.

Puxo o ar, animada.

– É verdade! Temos que pensar num nome de herói oficial pra você! Não esse horroroso que a mídia ou sei lá quem inventou. As pessoas precisam saber quem você realmente é.

Ele vira o rosto e coça a nuca.

– Eu não sei se sou um super-herói mesmo. Eu sou só... Sei lá, um moleque qualquer tentando fazer a coisa certa.

Abano uma palma despreocupada.

– Você está completamente fora de si. Vou ser a sua agente. Deixa que eu cuido das coisas. Ei, não faça essa cara. Você tem que confiar em mim. Te conheço quase mais do que a mim mesma e posso te dizer: se tem alguém nesta cidade que nasceu pra ser herói, esse alguém é você.

Já me preparo para insistir, mas Alex não rebate. Só desvia o rosto e sorri discretamente para si mesmo.

O sinal de pedestres abre e fecha mais uma vez. Ainda estamos parados na calçada.

– Você acha que vamos mesmo conseguir mudar o que pensam de mim? – pergunta Alex. – Estamos vivendo tempos meio malucos. Algumas pessoas enxergam o mundo de uma forma específica e simplesmente não querem mudar, muito menos dialogar. Não importa a quem doa.

– É difícil sim, é verdade. Mas, se eu mudei, qualquer um consegue. E você sabe como eu adoro um desafio. – Levanto o queixo para ele. – Aos poucos a gente consegue. É só lembrar que estamos nisso juntos.

– Sempre. – Ele assente devagar.

Sou eu que seguro sua mão, no final. Levanto-a com a minha.

– E a partir de agora começa a nossa revanche!

Ele ri, mas não do jeito de quando acha que estou louca. Do jeito de quando está entrando na minha onda e se juntando a mim.

– Não sei mais dizer se esse seu sorriso vai ser a nossa perdição ou a nossa salvação – comenta ele.

– Que tal os dois? – sugiro, e finalmente atravessamos a rua.

CONFISSÕ ES

BÁRBARA MORAIS

Eu sou uma péssima mentirosa e talvez seja uma amiga pior ainda.

Foi isso que nos levou até a delegacia de Polícia Civil de Pirenópolis. Foi essa incrível combinação que fez Rafa passar mais de meia hora tentando acalmar os ânimos e arrumar toda a bagunça que eu causei.

Minha vontade era de me levantar, ir até a mesa do Seu Almeida e berrar que a culpa era toda minha, que eu que tinha inventado de invadir aquela casa anos antes; que a menina com o cachorrinho no colo que dormia encostada no meu ombro havia sido apenas uma desculpa para nos fazer pular o muro. Rafa e Priscila não tinham nada a ver com a história. Eu é que deveria ser punida.

Em vez disso, tive que usar o bloco de notas do celular para escrever tudo o que não pude falar para as autoridades, para ver se pelo menos dessa vez não estrago as coisas por completo.

Acho que tudo começou quando a avó de Rafa se mudou da chácara para a cidade. Eu tinha entre onze e doze anos, nem lembro direito, e era mais uma das vezes em que eu vinha com Rafa pra Pirenópolis, porque meus pais haviam marcado viagem e esquecido de que tinham uma filha menor de idade que ainda precisava da supervisão de adultos. Nunca tive muito espírito de autopreservação – por exemplo, quando eu era bebê, na natação me avaliaram como "carisma 10, sobrevivência 2", e desde então as coisas só foram ladeira abaixo. Teve uma vez, quando eu tinha oito anos, que pulei da varanda do apartamento da vovó para ver se realmente tinha aprendido a flutuar depois de ver um tutorial no YouTube (pelo menos ela morava no primeiro andar e eu só quebrei uma perna); alguns meses depois, subi em uma árvore porque meu primo tinha inventado que lá havia um ninho de mafagafo e enfiei a mão numa colmeia sem querer, descobrindo de forma dramática e estúpida que eu tinha alergia a abelhas.

Era claramente irresponsabilidade me deixar sozinha, e meus pais morriam de medo de acharem que eles eram ruins nesse negócio de criar uma criança, então eu sempre conseguia ficar onde e com quem eu queria (carisma 10, lembra?).

Enfim: a avó de Rafa havia se mudado da chácara para a cidade depois que um raio causou um incêndio horrível na seca do ano anterior. Era a primeira vez que eu visitava a cidade de Pirenópolis, e não só sua zona rural. Rafa me levou para todos os seus lugares favoritos e, quando chegamos à sorveteria, notei uma casa, gloriosa e esquisita, do outro lado da rua.

Tive certeza de que era mal-assombrada no instante em que a vi. Tinha o mesmo estilo colonial das outras casas da cidade – a tinta azul das venezianas de madeira, a porta de madeira emoldurada, o telhado com detalhes na base, parecidos com as rendas das roupas de vovó. Ocupava metade do quarteirão, com suas paredes rachadas, as trepadeiras escorrendo como sangue verde pelo muro, a escadaria de madeira da porta da frente completamente apodrecida. Os flamboiãs e as primaveras cresciam sem controle, salpicando de vermelho e roxo o telhado da casa, e a raiz de uma das árvores havia se rebelado e quebrado tudo em seu caminho até chegar à calçada. Além da aparência descuidada, havia um sentimento esquisito, uma sensação de que havia algo inerentemente errado com aquela casa, como se uma sombra pairasse sobre ela.

– Ah, é a casa dos Rezende. Vovó contou que, depois que o velho morreu, ninguém conseguiu decidir como dividir a herança e tem um milhão de anos que abandonaram a casa – explicou Rafa ao notar que eu estava mais concentrada no outro lado da rua do que no meu sorvete.

– É o cenário perfeito pra uma ocultação de cadáver – falei, e Rafa arregalou os olhos.

– Credo, Júlia. Que horror!

– Certeza que tem pelo menos umas duas almas rondando por aí. Olha lá! Nenhuma casa normal é assim.

– Eu não sei se você tá familiarizada com casas abandonadas, mas em geral elas *são* assim.

– Olha ali, você já viu coisa assim antes? – retruquei, apontando para o musgo que se acumulava no telhado. – Não, porque é julho e a última vez que choveu foi em abril!

Rafa ficou em silêncio, procurando uma explicação racional que me convencesse, mas eu acredito piamente que a explicação mais simples, por mais absurda que seja, é a mais próxima da verdade. De que adianta ficar inventando malabarismo para justificar o injustificável? Eu nunca tinha visto musgo daquele jeito no cerrado – esse tipo de coisa pertencia à cidade da mãe de mamãe, Dona Muriel, onde chovia de fazer rio e que ficava abaixo do Trópico de Capricórnio.

Nos cinco ou seis anos desde que a vi pela primeira vez, a casa entrou em guerra com tudo ao seu redor. As árvores lutavam para expulsá-la do terreno e ela insistia em ficar, impassível, mesmo sem pedaços do teto e da parede. As mangas maduras que caíam das árvores, que ficavam cada vez maiores, atingiam o telhado como mísseis determinados a exterminá-lo de vez; entretanto a casa era teimosa e não cedia, mesmo com um número crescente de buracos. Ano passado foi o mais esquisito, porque apareceu uma boneca de porcelana amarelada, com uma expressão de horror, bochechas rosadas e uma roupa rosa puída e suja. Ela nos encarava das janelas – cada dia em uma diferente, olhando para o vazio com seus olhinhos escuros assustados – e eu tive certeza de que havia uma alma de criança aprisionada dentro dela.

– A gente deveria entrar – sugeri para Rafa e Priscila certo dia, quando estávamos sentados no meio-fio na frente da sorveteria, apontando para a janela onde a boneca estava desta vez. – Não é possível que depois disso vocês ainda não acreditem em mim.

– Júlia, é óbvio que são só aqueles moleques lá do outro lado da ponte zoando com a nossa cara – falou Priscila, comendo mais uma pazinha do seu sorvete de maracujá. – Mas a boneca ficou muito bem-feita, ela realmente parece mal-assombrada.

– Eu só sei que cês são doidas de ficar olhando pra esse capeta aí – comentou Rafa com a atenção voltada para sua própria casquinha. – Eu, hein, vai que ela suga minha alma. E aí? O que eu vou fazer? Deus o livre, minha avó me mata se eu morrer.

Então, veja bem. Se dependesse de mim, a gente teria pulado aquele muro e entrado na casa há muito tempo. Se Rafa e Priscila não atuassem constantemente como a personificação do bom senso na minha vida, a esta altura do campeonato eu provavelmente estaria morta ou presa, ou os dois.

A paciência que tinham comigo era fruto da combinação perigosa de ter um coração gigante e não conseguir dizer não para as pessoas. Foi exatamente por isso que concordaram com a minha ideia louca de entrar na casa desta vez, justo quando o bom senso deveria ter ganhado.

Um pouco depois do almoço, Nandinha, a filha da vizinha, apareceu no portão da casa da avó de Rafa com o rosto molhado e o nariz vermelho, fungando e segurando o choro. Rafa a sentou na mesa da cozinha e Priscila lhe ofereceu pães de queijo. Quando a menina se acalmou, explicou o que tinha acontecido:

– Eu tava lá na cidade andando com a Paçoca e daí fui tomar

um sorvete e... e... e... – Ela fungou mais uma vez e lhe entreguei um guardanapo para assoar o nariz. – E daí eu não sei como, mas ela se soltou da minha mão e saiu correndo na direção daquela casa horrível! Eu vi ela entrando naquele buraco que tem no muro, sabe? A Dona Marta lá da sorveteria até me deu um pouco do sorvete de coco que a Paçoca ama, mas nem assim ela voltou.

– Sua mãe tá em casa? – perguntou Priscila, se abaixando na frente da menina. Pri tinha dois irmãos mais novos, por isso sabia lidar com criança muito melhor que a gente. Nandinha negou. – Você quer ligar pra ela? A gente pode te levar até o trabalho dela, se você quiser.

– Não! Mamãe não pode saber que eu perdi a Paçoca. – A menina pareceu um pouco desesperada. – Ela vai brigar comigo e me colocar de castigo!

– Calma, tá tudo bem. A gente não vai falar nada – falou Rafa, tentando acalmá-la e servindo mais pão de queijo. – Você quer um leite com chocolate também?

– Eu só quero a Paçoca de volta – respondeu Nandinha, mas pegou mais um pão de queijo e o enfiou quase todo na boca. Minha mãe, se visse essa cena, ficaria horrorizada e torceria o nariz com aquela expressão de nojo que só ela consegue fazer. Como Nandinha não tinha uma mãe como a minha, continuou falando mesmo com a boca cheia. – Vocês podem me ajudar, né? Como vocês trabalham com isso, podem entrar na casa em segurança e trazer minha cachorra de volta.

– É o quê, menina? – perguntou Rafa, franzindo a testa.

– Vocês trabalham com isso – repetiu Nandinha depois de engolir o pão de queijo. Ela enfiou a mão na bolsinha de unicórnio que estava trespassada pelo seu peito e pegou um punhado de moedas. – Eu posso pagar!

– Nandinha, não precisa se preocupar – interferi, fazendo um sinal para ela guardar suas moedinhas. Rafa e Priscila estavam olhando para mim como se eu mesma tivesse jogado a cachorra dentro da casa, mas eu não tinha nada a ver com essa história.

– A gente pode te ajudar a encontrar a Paçoca.

– Obrigada! – Ela saltou da cadeira e se jogou em mim para me dar um abraço. Eu bati de leve nas costas dela sem jeito. – Sabia que podia confiar em vocês, só gente muito legal trabalha com essas coisas.

– Ah, mas a gente não vai pular o muro – avisou Priscila antes de sairmos, e Nandinha assentiu.

Meia hora depois, nós pulamos o muro.

Uma vez, eu contei para uma senhora na igreja que a água benta um dia foi xixi de dinossauro e a confusão foi tanta que minha família foi gentilmente convidada a frequentar outra paróquia. Foi quando minha mãe decidiu que havia algo de errado comigo e eu visitei todos os psiquiatras de Brasília. "Como é que uma menina inventa história assim, doutor?", "Será que ela é mentirosa compulsiva?", "Por que ela não é que nem a filha da minha amiga, que é uma princesinha?". Minha mãe não teve um diagnóstico para colar na minha testa – eu sei que ela queria uma explicação que medicamentos pudessem resolver, porque para ela tudo pode ser resolvido com remédio – e só parou com essa história quando um dos médicos deu parabéns porque eu era muito inteligente e perguntou como ela tinha incentivado o meu espírito científico.

Não havia nada de errado comigo, havia algo de errado *com o mundo*. Era tudo tão chato, mundano e repetitivo, sabe? Levantar. Tomar café. Ir para a escola. Aguentar horas de *humanos* sendo desnecessariamente dramáticos. E por algum motivo todo mundo achava que eu era uma boa conselheira, então todos os dilemas românticos absurdos e *insanos* caíam nos meus ouvidos e eu só queria berrar PELO AMOR DE DEUS TEM COISA MAIS IMPORTANTE DO QUE BEIJAR PESSOAS. E havia provas e professores idiotas e a pobre coordenadora que tinha que me aturar. Aí ir para casa, fazer dever, ver televisão, dormir e recomeçar. Era uma vida insuportável, e a coisa que eu mais queria era, sei lá, que uma viajante do tempo aparecesse na minha frente e dissesse "Vem, entra na minha cabine telefônica azul e vamos conhecer todo o espaço e tempo!".

Acho que foi por isso que decidi contar para Nandinha que nós éramos agentes em treinamento numa organização que investigava casos sobrenaturais. Não configura mentira se é algo que você quer muito que aconteça, né? Não? Bem, a culpa não é minha se ela era uma menina de oito anos altamente impressionável que idolatrava a gente e que depois de três anos ainda não tinha se esquecido dessa história.

– A culpa é completamente sua, Júlia – falou Priscila depois que revelei por que Nandinha tinha a impressão de que a gente trabalhava com algo que envolvia invadir casas claramente mal--assombradas. – Ela é uma criança! Claro que vai acreditar no que você diz.

Fiquei em silêncio por um instante, observando Rafa e Nandinha que venciam as ladeiras e a pista de paralelepípedos com muito mais facilidade que nós duas.

– Então acho que você vai ter que explicar pro seu irmão que eu não sou um androide de verdade, era só uma história.

– Júlia! – exclamou ela, dando uma gargalhada. – Você é impossível.

Quando finalmente chegamos à casa, meio sem fôlego, Rafa já se abaixava ao lado do buraco que a raiz da árvore abrira no muro, sua calça *jeans* escura se manchando de terra vermelha, e a menina ao seu lado apontava a lanterna do celular para iluminar melhor.

– Eu não consigo ver nada, Nandinha – disse Rafa, tirando o cabelo cacheado do rosto com as costas da mão. – Tenta chamar por ela.

– Paçoca! Vem cá, neném! – gritou a menina, estalando os dedos. Ela enfiou a mão no bolso e tirou um petisco que tinha um cheiro de gambá morto. – Olha o que eu tenho pra você. Paçoquita, vem aqui, bebê. Por favooor.

– Não tem jeito, a gente vai ter que entrar – afirmei, tentando esconder a empolgação.

Priscila fez um som indignado e colocou as mãos na cintura.

– A gente nem tentou chamar o cachorro direito! Não dá para desistir na primeira vez – disse ela, revoltada. – E a gente não vai entrar na casa. Não quero perder meu réu primário de forma estúpida.

– E eu não quero ser assassinada por um espírito. A gente viu filme de terror o suficiente para saber o que acontece com três adolescentes e um cachorro que decidem mexer com o que não devem. – Rafa se sentou na calçada com as pernas cruzadas, tentando domar o cabelo com as costas das mãos.

– Gente, tá tranquilo – retruquei. Tirei um quadrado pesado da bolsa de pano que eu trazia no ombro: havia comprado o leitor de ondas eletromagnéticas no Mercado Livre, num anúncio que dizia LEITOR EMF PERFEITO PARA CAÇA-FANTASMAS, o que era *a garantia* de um instrumento de leitura confiável. – Com isto aqui, a gente não vai ser pego de surpresa.

– Júlia.

– Você pode usar o aplicativo do seu celular. Você testou em casa, lembra? Dá certo. – falei para Priscila, tentando convencê-la.

– Eu testei em casa para um micro-ondas! A gente nem sabe se atividade paranormal existe! Não vou ter essa discussão de novo, até porque ninguém vai entrar nessa casa. – Ela cruzou os braços.

– Tá tudo bem – disse Nandinha, chateada, se sentando ao lado de Rafa. – É um dia só, espero que não aconteça nada com a Paçoquinha. Acho que vou deixar um prato de comida aqui fora e esperar que ela se guie pelo cheiro, né, já que ela não enxerga.

– É uma cadelinha cega, Priscila – falei. – Coitada, vai passar a noite inteira nesse lugar desconhecido, provavelmente está assustada e morrendo de fome e só quer voltar para casa.

Rafa só observava nossa conversa, suas sobrancelhas grossas em uma expressão concentrada. Eu conseguia ver o dilema pelo qual estava passando: lá no fundo, tinha a curiosidade de entrar na casa que habitava nosso imaginário, mas ao mesmo tempo tinha bom senso que nem Priscila.

– Rafa decide – sugeriu Pri. Acho que ela pensou que com isso tinha mais chances de ganhar porque, né, bom senso.

– Eu não! – disparou Rafa, em pânico. – Não tenho nada a ver com isso.

– Claro que tem, Rafa. A vizinha é sua.

– Eu não gosto do jeito que a Júlia tá olhando pra mim.

– Olha, ainda tá de dia. A gente entra, procura a cachorrinha, se não achar até o sol começar a se pôr, a gente sai e avisa a mãe dela. Não vai ser nada de mais.

– Ah, claro, invasão de domicílio não é *nada de mais*.

– A cachorra é cega, Priscila.

– E meio surda – acrescentou Nandinha.

Acho que o poder do meu carisma somado com a carinha de choro da menina convenceram Priscila, porque ela suspirou pesadamente e eu soube que havia vencido.

– A gente vai entrar, né? – perguntou Rafa com resignação. Então tirou o canivete que guardava escondido no coturno antes de se levantar com um salto. – Certo, podemos ir.

– Até hoje eu não entendi por que você anda com uma faca na bota, Rafa.

– Pra andar com você, Júlia, a gente tem que estar de prontidão para tudo. – A resposta veio acompanhada de um sorriso radiante. Rafa podia fazer o drama que quisesse, mas eu sabia que estava se divertindo tanto quanto eu.

Foi mais ou menos por aí que as coisas começaram a dar errado. Depois que Rafa e Priscila pularam o muro, eu estava pronta para colocar os anos de escalada à prova quando ouvi passos se aproximando. Eu me virei e deparei com o Homem Mais Detestável de Pirenópolis, nêmesis e vizinho da avó de Rafa, que também tinha um mercadinho perto daquela rua. Eu havia me esquecido de que a rua tinha duas entradas e que, claro, só a Nandinha não conseguiria vigiar as duas. Quando ele me viu, franziu a testa, provavelmente estranhando o fato de eu estar parada sozinha numa rua estreita e meio deserta.

– Cadê aquele seu namoradinho? – perguntou ele, sem nem me dar bom-dia.

– Bom dia, Seu Ricardo. Como vai o senhor? Eu estou muito bem, obrigada por perguntar. – O sorriso que eu tinha no rosto era reservado a coordenadores e professores putos comigo. Eu esperava muito que desse para ouvir a conversa do outro lado do muro, porque a última coisa de que a gente precisava era que Priscila ou Rafa me chamassem. – E não faço ideia de quem você está falando.

– Se você tá por aqui, aquela peste tá também – insistiu ele, franzindo mais a testa. Se ele franzisse um pouco mais, ficaria parecendo o buldogue da minha mãe. – E eu sei que vocês estão sempre aprontando alguma coisa.

– Eu só tô esperando, moço – falei, tentando parecer o mais inocente possível, mas provavelmente hesitando, porque, bem, era uma mentira. – Pri e Rafa foram buscar um negócio em casa e já voltam, a gente vai tomar sorvete.

– E por que a senhorita está aqui, deste lado da rua, e não lá na frente?

Era a hora de usar minha carta na manga: falar muito e muito rápido várias coisas irrelevantes. Dava certo nove a cada dez vezes que eu usava o truque, e só meus pais eram completamente imunes.

– Olha esse solzão aí, não quero me queimar não. Eu não sou que nem Pri e Rafa que se bronzeiam com mais facilidade, se pego sol fico parecendo um camarão e minha mãe disse que se eu aparecer com uma sarda em casa ela vai me levar pra dermatologista dela e aquela doida vai querer, sei lá, me obrigar a tomar roacutan como da última vez sendo que meu problema com acne nem é tão severo assim e eu tô bem com as minhas espinhas.

Ele piscou algumas vezes, como se tentando processar as dezenas de palavras que eu falava por segundo, e daí só desistiu de entender.

– Sei – disse ele e cruzou os braços. – Eu tô de olho n'ocês. Vocês tomem juízo.

– Claro. – Sorri inocentemente. – A gente nunca faz nada de errado.

Esperei que virasse a esquina, contudo ele parou para fazer um cafuné em Nandinha e falar qualquer besteira que fosse.

Se Seu Ricardo suspeitasse que a gente estava invadindo a casa, em vez de dar uma bronca e mandar a gente parar de arrumar encrenca, ele iria chamar a polícia e fazer um escarcéu. E imaginar que todo esse rancor surgiu porque ele roubava água da casa da avó de Rafa... Parece até que quem está certo na história é ele.

Quando enfim me senti segura, escalei e pulei o muro. Rafa estava praticamente quicando de ansiedade e me ajudou a levantar, enquanto Priscila esfregava as mãos uma na outra, como se estivesse tentando aquecê-las.

– Ainda bem que foi você e não eu lá fora – disse Rafa. – Ele é um covarde que insiste em se referir a mim usando o pronome errado! Até ano passado me tratava normalmente no feminino, daí eu cortei o cabelo e os rumores começaram, agora ele insiste em usar o masculino. Se vovó pega o Seu Ricardo fazendo isso, ele acorda com a boca cheia de formiga.

– Ele é um idiota – falei com desprezo. – Não sei se consegui despistar bem, então talvez a gente não tenha muito tempo.

– Vamos achar logo esse cachorro e ir embora, porque eu não aguento tanta adrenalina assim num dia só – Priscila finalmente falou e eu enfim assimilei o que estava acontecendo.

Nós finalmente estávamos na casa. Não era qualquer casa, era A casa, a peça principal das nossas viagens para a casa da avó de Rafa ao longo de todos esses anos, o mistério que acompanhou a maior parte da nossa amizade. Por um lado, eu estava ansiosa para enfim descobrir se ela era mal-assombrada ou só um lugar onde as pessoas iam para beber e traficar drogas; por outro, era um pouco triste que não houvesse mais todo o suspense e o drama e as histórias que inventávamos sobre ela. Eu iria sentir falta de tudo isso.

Nós havíamos pulado no quintal, na parte de trás da casa. O mato estava seco nos nossos pés e o cheiro de manga podre era nauseante. Rafa quase escorregou em uma, mas eu e Priscila evitamos sua queda a tempo. As árvores que ainda tinham folhas formavam uma pequena floresta, vários graus mais fria do que o calor de agosto do centro-oeste. Todos os pelos no braço de Priscila estavam arrepiados e, conforme nos aproximávamos da casa, uma sensação de peso nos meus pulmões tornava a respiração um pouco mais difícil.

Era a alergia a mofo, eu tinha certeza.

As paredes externas da casa estavam cobertas por trepadeiras e primaveras, as venezianas das janelas pendiam tortas e as dobradiças havia muito tinham desistido de seu trabalho. A parte lateral da casa estava iluminada pelo buraco no teto causado por uma tempestade, e a porta da cozinha caía, meio apodrecida. Eu esperava mais, esperava rachaduras e paredes sujas e manchas de sangue na parede, esperava o espírito assassino de uma jovem noiva que morreu afogada antes do casamento, sei lá, mas a verdade era que a casa parecia só... triste e solitária.

– É... só isso? – perguntou Priscila, parecendo tão decepcionada quanto eu.

– Aparentemente sim – respondi, amarga. – Se você fosse um *shih tzu* numa casa abandonada completamente *banal*, onde se esconderia?

– No lugar mais difícil de achar, é óbvio – falou Rafa com um meio sorriso. – Bora lá.

Rafa tomou a dianteira, enfiando as mãos nos bolsos e batendo as botas nos degraus de madeira para confirmar que estavam firmes antes de fazer o sinal para entrarmos na cozinha. Priscila começou a tossir no momento em que cruzamos a porta, uma nuvem de poeira vermelha subiu com os nossos passos, e eu comecei a espirrar quando passamos para o próximo cômodo, sentindo meu pulmão ainda mais pesado. Havia pichações em azul e preto dentro dessa parte, com uns símbolos esquisitos além das habituais letras estilizadas.

Os dois fogões a lenha estavam intactos e intocados, ainda com cinzas dentro deles. Cacos de uma panela de barro se espalhavam pelo chão na frente da pia, e senti um calafrio quando me aproximei. O ar pareceu ficar meio embaçado, como se houvesse fumaça no cômodo, e ouvi um barulho vindo de uma das despensas – fui olhar, mas não havia nada. A fumaça pareceu grudar em mim e, quando virei para procurar Rafa e Priscila, elas já estavam lá fora e eu nem tinha percebido que tinha me afastado. Me apressei para alcançá-las, sentindo um calafrio.

O leitor EMF estava completamente normal.

Priscila abaixou-se com uma expressão concentrada na beirada da piscina de azulejos rachados. Anos de folhas e frutas se acumulavam na água, e o fedor daquilo me deixou ainda mais enjoada.

– Nada de Paçoca aqui – disse Priscila. Depois olhou para as nossas duas opções: a casa da frente ou os cômodos que ficavam ao fundo do terreno.

Eu me afastei ao máximo da cozinha, esfregando meu braço para me livrar da sensação esquisita que ainda grudava na minha pele. Priscila se levantou, olhando ao redor. A luz do sol estava um pouco mais baixa. Peguei meu celular para a ver a hora e o sinal da internet estava fraquinho.

– A gente deveria se separar para ir mais rápido – sugeriu Priscila.

– Pri, achei que você era inteligente o suficiente para saber que não dá pra se separar numa situação como essa – retrucou Rafa, com apreensão.

– Mas é o jeito mais rápido. É capaz que essa cachorra doida tenha se enfiado em algum armário e, se a gente for procurar junto, vai demorar mil anos para achar – insistiu Priscila. – E a gente já viu que não tem ninguém na casa, então tá tudo bem.

– Uma das frases mais ditas antes de morrer – falei com humor. Ela revirou os olhos. – Bem, eu acho que se a Priscila, de todas as pessoas, acha que é seguro, então tudo bem.

– Eu não gosto disso – falou Rafa.

– Meu Deus, o que pode acontecer? – insistiu Priscila. – É só uma casa.

– Você acabou de desafiar a casa.

– Casas não são desafiadas, Rafa! Filmes de terror não são reais.

– Você total se mudaria para uma casa onde todas as pessoas foram mortas por *serial killer*, né? Seu senso de autopreservação é zero. Você e Júlia a oitenta quilômetros por hora, quem morre primeiro?

– A gente tá perdendo tempo. Eu vou por aqui – disse Priscila, entrando pela porta da casa principal. – Vocês decidam aí para onde vão. Qualquer coisa, é só gritar.

– Priscila... – chamou Rafa. – Eu vou com você, então. A Júlia eu sei que tem medo das coisas certas.

– Eu tô com o sal grosso e a água benta que tua avó conseguiu na igreja – avisei e recebi um joinha como resposta.

– Ai, gente, não precisa desse drama todo! A casa é completamente normal! – exclamou Priscila. – Mas tudo bem, não vamos ser práticas por um motivo completamente estúpido. Pelo menos você pode olhar nos lugares mais altos que eu não alcanço, Rafa.

Depois que desapareceram pela porta da casa principal, olhei de soslaio para os cômodos da parte de trás da casa, com suas paredes cobertas pelas pichações esquisitas, alguns metros depois da piscina. Me aproximei, ouvi um barulho vindo de dentro que não consegui entender direito. Chamei a cachorra, sem sucesso. As janelas tinham tanta poeira que não consegui ver nada lá dentro mesmo limpando um pouco com a manga do meu casaco. Eu não queria tentar abrir as portas nem entrar naquele lugar sozinha, mas a cachorra era surda, né? As portas estavam trancadas e não havia nenhum buraco nas paredes. Então, a menos que Paçoca pudesse atravessar paredes, ela não estava ali.

Quando me virei para voltar para a casa principal e reencontrar Rafa e Pri, eu finalmente descobri o que era aquele barulho: unhas arranhando a madeira, como se algo estivesse tentando abrir um buraco na porta. Todos os pelos do meu corpo se arrepiaram e a sensação pesada no meu pulmão piorou, um nó se formou na minha garganta. Saí correndo o mais rápido possível, entrei na casa principal e bati a porta atrás de mim.

– Rafa? Pri? – chamei no vazio.

Quando acendi a lanterna do celular e acabou minha crise de espirros, entendi por que ninguém respondeu: a casa era gigantesca. O salão principal devia ser do tamanho da casa da avó de Rafa, e dele saiam dois corredores com uma infinidade de portas e quartos. No fim do corredor da direita, havia uma escada que dava acesso ao primeiro andar, que devia ter ainda mais cômodos do que a parte térrea. A casa era bem parecida como todas as pousadas da cidade, se não fosse a decoração, que com certeza era a mesma desde o século xix. Os aparadores e as cristaleiras eram de uma madeira escura e estavam cobertos por dois dedos de poeira. Já os sofás de couro pareciam intactos, como se um homem com um cachimbo fosse se sentar ali a qualquer momento. Havia quadros nas paredes – imagens religiosas, um retrato de pessoas que supus que teriam sido membros da família Rezende – e alguns porta-retratos com fotos preto e branco e amareladas. As venezianas ali estavam pregadas na esquadria das janelas, para que não fossem abertas. Havia um altarzinho com uns santos amarelados, cobertos de chagas e carregando cruzes, todos muito sofridos. A sensação ruim só piorava, e senti um desespero súbito arranhando minha garganta, gelando meu estômago. Entrei em pânico: precisamos sair daqui, precisamos sair daqui, precisamos sair daqui.

Desesperada, tentei me acalmar. Respirei fundo e enfiei a mão no bolso da mochila onde havia guardado o pacote aberto de sal grosso que tinha surrupiado da churrasqueira da avó de Rafa. Joguei um bocado na minha frente, sem saber exatamente o que fazer... Eu tinha que rezar um pai-nosso? Cantar alguma música? Declamar um poema dramático?

– Dá licença só um minutinho, tá. A gente já tá indo embora, só pegaremos a cachorra – foi o que acabei dizendo, me sentindo estúpida logo depois. Peguei a água benta e joguei em cima, porque, sei lá, tinha que garantir, né?

Naquele momento, me arrependi de ter dedicado mais tempo às minhas pesquisas sobre alienígenas do que sobre fantasmas.

Segui pelo corredor à esquerda, acompanhando as pegadas na poeira do chão. Eram três pares: os tênis de Priscila, as botas de Rafa e as patinhas de Paçoca. Achei estranho demais. Como é que ninguém tinha entrado naquela casa? Os meninos pulavam o muro direto! Havia pichações do lado de fora da casa inteira! Não era possível que não tivessem tentado entrar ou pegar algo aqui de dentro.

– Pri? Rafa? – chamei novamente. – Paçoca? Paçoquinha?

A primeira porta estava entreaberta e eu espiei lá dentro – uma cama forrada e uma cômoda; senti um calafrio e segui adiante. A próxima estava fechada. Já o cômodo seguinte nem porta tinha. As pegadas prosseguiam, mas hesitei um pouco antes de passar pelo terceiro quarto, como se meu corpo se recusasse a continuar.

Vai embora, vai embora, vai embora.

A ideia tinha sido minha, então eu iria passar por essa porta, encontrar Rafa e Priscila e ir embora – e faria tudo isso como uma pessoa normal, e não de modo desesperado. Dei um passo para a frente. Depois outro, e o que vi pelo canto do olho me fez parar e encarar o cômodo.

Havia apenas uma cadeira coberta por um tecido rosa e, em cima dela, a boneca com olhinhos vazios que havia me causado curiosidade no ano passado. Uma de suas perninhas estava quebrada. A porcelana refletia a lanterna do celular, e pude ver que sua boca rosa se contorcia num sorriso macabro.

Então, ela se *mexeu.*

Eu não fiquei para entender se era só efeito da luz ou não: saí correndo, meus tênis batendo contra o piso de madeira, sem nem olhar para trás. O corredor parecia ter trezentos quilômetros, não terminava nunca, e virava em L na direção da cozinha, pra luz, pro muro, pro lado de fora, pra onde era seguro. Quando virei na curva, esbarrei com toda a força em algo. Me desequilibrei, meu celular quicou para longe e eu caí de bunda no chão.

A coisa em que esbarrei gritou. Eu gritei. Uma voz vinda de algum lugar mais abaixo gritou também.

Daí um cachorro latiu.

– Rafa, tá tudo bem? – perguntou Priscila.

Rafa virou o rosto pro lado e cuspiu, sem se importar muito com o fato de que estávamos dentro de uma casa.

Eu precisava voltar a respirar normalmente, contando minhas respirações com calma na tentativa me acalmar. Não era nada de mais, só minha turma e Paçoca, a gente estava no meio do caminho e iríamos embora e nada iria acontecer.

– Eu só mordi minha língua – falou Rafa de um jeito meio enrolado, enxugando a boca com as costas da mão e apontando seu próprio celular para mim. – Júlia? É você?

Eu estava tremendo demais para me levantar, mas assenti. Não conseguia ver Priscila em lugar nenhum.

– É a Júlia? – Júlia, é você? – A voz de Priscila surgiu novamente e, quando Rafa me ajudou a levantar, entendi o que estava acontecendo.

Havia um buraco no piso, grande o suficiente para uma pessoa prender o pé. No chão, Priscila estava sentada contra uma parede, com uma perna esticada e um *shih tzu* marrom no colo. Nesta parte da casa, o ambiente era ainda mais escuro; sem conseguir enxergar direito, Priscila tinha tropeçado no buraco, e era tudo culpa minha, que tive a ideia estúpida de entrar nesta casa.

– Meu Deus, Pri! Você se machucou? – perguntei, ainda me apoiando em Rafa. – A gente precisa sair daqui rápido.

– Júlia. Olha. – começou Rafa, e pelo tom eu já imaginava o que vinha por aí. – Eu nem sei... Sabe, eu avisei! Eu nem queria vir... Argh, nem sei por onde começar.

– Eu torci meu pé. Não tô conseguindo andar direito, vocês vão precisar me levar – falou Priscila, muito mais eloquente que Rafa. – E eu não faço ideia de como vocês vão me fazer pular o muro e carregar o cachorro junto, mas tá aí o que você queria. Tá feliz?

Abri e fechei a boca algumas vezes, sem saber o que responder. Não sei o que estava esperando, mas com certeza não era aquela hostilidade e irritação que irradiava de Rafa e Priscila. Abaixei a cabeça, me sentindo envergonhada.

– Desculpa. Eu só queria... – Eu nem sabia o que estava falando. – A gente vem aqui e fica olhando a casa desde sempre, sabe. E ano que vem a gente vai ter saído da escola, vai estar na faculdade e não vai ter nada disso. A gente não vai poder vir pra cá e ficar no meio-fio tomando sorvete enquanto olha pra Casa Mal-Assombrada. Eu não vou ver vocês todos os dias e a gente não vai se falar direito e tudo vai ser estranho. Nada vai ser do jeito que é hoje.

– O quê? Você planeja parar de falar com a gente ano que vem, é isso? – perguntou Priscila, mas havia algo além de raiva na sua pergunta. – A gente não vai ser bacana o suficiente pros seus amigos de sei lá que curso grã-fino você vai fazer?

– Não é isso! – retruquei, mas ela continuou falando.

– Eu nem sei como nossa amizade tem tanto tempo. Sei que vocês começaram a falar comigo por pena, porque eu era a menina que não tinha nenhum amigo, mas vocês não têm a obrigação de continuar. A gente é superdiferente e tem umas coisas que vocês falam que eu não faço ideia do que é. – Priscila soou frustrada. – É como se eu fosse constantemente um incômodo no universo que vocês criaram, um negócio de outro mundo. Eu sei que a amizade de vocês é desde sempre, e, sei lá, eu entendo se eu estiver sobrando.

– Você não está sobrando, eu já falei – interveio Rafa, se abaixando para ficar na altura de Pri, levando a luz consigo. Eu não fazia ideia de que Priscila se sentia assim, e senti vergonha, porque, se isso não era sinal de que eu era uma péssima amiga, o que seria? – Você é a pessoa mais brilhante que já conheci e é a mais gentil. Tem vezes que eu nem sei da onde você tira algumas coisas que fala, eu sinto orgulho de ter alguém tão *boa* ao meu lado, em todos os sentidos. Você se esforça em tudo o que faz e gosta das coisas de uma forma tão genuína que é contagiante.

Era quase como se Rafa estivesse listando todas as qualidades de Priscila em oposição aos meus próprios defeitos e eu me encolhi, me sentindo pior ainda. Como eu iria explicar para Pri e Rafa que eu sabia que tudo seria diferente por *minha* causa? Porque eu era uma pessoa horrível e incapaz de fazer as coisas direito e de manter as pessoas juntas.

– A gente não começou a falar com você porque tinha pena. – Foi só o que eu consegui adicionar, fracamente, no meio da confusão de emoções.

– A Júlia tá certa, não foi por pena – concordou Rafa. Ouvi Priscila fungar lá embaixo. – A gente só enxergou todo o seu potencial e pegou antes de todo mundo.

– Assim vocês vão me fazer chorar – falou Priscila, e Rafa riu e eu só queria ser uma pessoa normal que consegue ter uma conversa desse tipo sem querer desaparecer.

– Eu também tenho pensado no ano que vem. Não faço ideia do que quero fazer da minha vida e eu sei que, se não passar em um lugar onde tem parente morando, vovó não vai ter dinheiro pra me sustentar. – contou Rafa. Antes que a gente pudesse protestar, acrescentou: – E aí, quando eu penso em estar em qualquer outro lugar que não seja o nosso colégio, eu entro em pânico. Seja na faculdade, seja trabalhando, com um monte de gente nova que não me conhece e vai me encher de perguntas. Eu podia muito bem fingir que tá tudo bem, que sou uma pessoa cis, já que não tenho problema com o pronome feminino, mas vocês sabem... Sempre sinto como se fosse uma farsa, uma marionete num *show* perverso, um ator ruim de filme sem graça. Ao mesmo tempo, não quero ter que explicar tudo de novo, ter que ver a cara de confusão das pessoas ao ouvirem "não binário", explicar como eu queria tanto, tanto, tanto que me chamassem da forma mais neutra possível. Já passei por isso em casa e na escola, não queria precisar passar por isso o tempo todo, e eu me sinto a salvo quando tô com vocês. Sei que a gente vai seguir caminhos diferentes, mas não queria perder meu porto seguro.

– Rafa, você é a pessoa mais corajosa que eu já conheci na vida. Não sei se conseguiria passar por metade das coisas que você passou, e eu fico tão feliz que você se sente a salvo conosco – disse Priscila, com a voz ainda meio embargada. – Se você quiser, eu vou estar lá pra te ajudar e te apoiar, seja lá o que você quiser fazer, não importa o que aconteça.

E aí restava eu. Eu, que tinha começado a sessão emotiva na casa mal-assombrada, que tinha enfiado a gente nessa enrascada, que falava todas as coisas erradas no pior momento possível. Eu, que não era nem de perto tão boa quanto essas duas pessoas extraordinárias que eram minhas amigas.

– Vocês são incríveis. – Me vi falando. –São as pessoas mais maravilhosas que já conheci na vida e não sei o que seria de mim sem vocês. O que tenho comparado a vocês? Um bocado de dinheiro e uma imaginação hiperativa, é isso. Eu não sou inteligente, nem corajosa, nem *boa*. Não dá pra ser bom tendo nascido na minha família, que tem mais dinheiro que noção. Eu posso até fingir, mas a verdade é que eu sou igualzinha a eles. Sou egoísta e mesquinha e não faço nada direito, então eu nem tento muito. Vai dar tudo errado mesmo, sabe. É melhor assim, evita decepções.

– Júlia, não é assim... – começou Rafa, porém levantei uma mão para interromper.

– Meu pai tem um caso com uma mulher há dez anos, minha mãe faz de conta que não sabe e não pede o divórcio. Eles fingem que tá tudo bem porque senão vão ficar *mal falados*. Meu pai tem uma *blusa* do aniversário de dez anos de namoro dele e da amante e usa em toda oportunidade que pode – contei, sentindo meus olhos se encherem de lágrimas. – Pra ele, eu sou só mais uma coisa que o prende num casamento imbecil que ele fez de forma impensada. Pra minha mãe... Bem, ela não é o que você consideraria uma mãe carinhosa, vocês já a conheceram. Não consigo me lembrar de um dia em que meu pai e minha mãe ficaram no mesmo cômodo sem brigar e quebrar coisas. Eu odeio ficar casa. Odeio, odeio, odeio, porque preciso ficar alerta o tempo todo, porque qualquer coisa que eu faço é motivo pra eles brigarem e eu nunca faço *nada* certo. Sei que vocês se irritam às vezes porque eu sempre estou na casa de vocês, mas é porque são os únicos lugares onde sinto que alguém me *quer*. E, no minuto que vocês não precisarem mais andar comigo, vão perceber como eu sou desnecessária e vão me deixar de lado.

Pisquei os olhos algumas vezes, em vão, e engasguei tentando não chorar, transformando o que seriam meras lágrimas num choro horrível e feio.

Eu odiava chorar. Odiava com todas as forças do meu ser, porque significava que eu era fraca e egoísta. Que direito eu tinha de chorar por uma besteira dessas, quando eu podia ter qualquer coisa que quisesse? Se eu virasse para a minha mãe e dissesse que queria estudar nos Estados Unidos, não só ela pagaria a faculdade como ficaria satisfeita em me ver o mais longe possível. Não era como Rafa, que, quando a gente era criança, morava num apartamento de dois quartos com nove pessoas. A família de Rafa estava mais confortável desde que o avô dela faleceu e deixou uma herança – que deu para comprar a chácara e, depois, a casa na cidade –, mas, se não fosse pela bolsa, ela nunca estudaria na nossa escola.

Que direito eu tinha de chorar quando a minha família era o retrato da família tradicional brasileira, quando meus pais pareciam saídos de comercial de margarina com seus sorrisos brancos demais e seus olhos claros e suas idas semanais à igreja? Priscila tinha duas mães e elas se amavam mais do que meus pais jamais se amaram, mas elas recebiam todo tipo de hostilidade, vinda dos lugares mais inesperados. Só conhecemos Priscila porque ela teve que mudar para a nossa escola no meio do ano, depois de ser convidada a se retirar da outra por *incompatibilidades com a filosofia da escola*. A incompatibilidade era ser uma menina negra com duas mães num dos colégios mais conservadores de Brasília. Incomodava demais os outros pais, o que eles iriam dizer pros filhinhos?

Então que direito eu tinha de chorar quando a vida de todo mundo era muito mais difícil que a minha e eu era cheia de privilégios?

– Então, é isso que eu quero dizer quando digo que nada vai ser igual. Vocês são como a minha família, mas eu sei que a gente cresce e muda e deixa para trás o que não faz diferença – continuei, entre soluços. – E me desculpem por estar chorando. Sei que é bobo, mas não consigo controlar.

A gente ficou em silêncio por quase um minuto até que Rafa me puxou para um abraço, mesmo sendo menor do que eu, me apertando contra si. Priscila fungou ainda mais alto e disse:

– Venham até aqui que eu quero abraçar também.

Soltei uma risada, enxugando os olhos com as costas das mãos, e a gente obedeceu. Priscila nos apertou com força e Rafa encostou a cabeça no meu ombro. O celular de Rafa ficou em algum lugar no chão, nos iluminando de baixo para cima.

– Não é bobo, Ju. Dói, não dói? Se você não pode falar dessas coisas com a gente, a sua *família*, com quem vai falar? – Rafa apertou a minha mão. – Eu não consigo nem imaginar como deve ser viver numa casa que está em guerra o tempo todo. Sinto muito que você se sinta assim na sua própria casa e, se eu pudesse, nem deixava você voltar.

– E você não é desnecessária – completou Priscila, nos apertando com mais força ainda. – Eu sei que eu pareço irritada e tento ser a voz da razão, mas na maior parte das vezes eu me divirto demais com tudo o que você inventa. Você é leal e nos defende com unhas e dentes e sempre se mete em encrenca para salvar a gente. Se não fosse por você, acho que ainda estaria lanchando na biblioteca, sem nenhum amigo, então obrigada. Vocês são as primeiras amigas que tive, e eu amo vocês demais.

– Vou chorar ainda mais assim – falei, sentindo um quentinho no peito. – O privilégio é meu de ser sua amiga, Pri, e tenho tanto orgulho de você... Quero estar lá na plateia no dia em que você ganhar um Nobel ou qualquer prêmio por ser a melhor cientista que já existiu em todo o universo.

– Ah, eu não vou nem contar o que ia falar pra não aumentar o chororô. – brincou Rafa, e Pri sorriu.

– Ah, nem, eu tô achando até bonitinho ver a Ju chorando assim, pela primeira vez. Agora posso confirmar com o meu irmão que você não é um android.

Com as palavras de Priscila, Rafa tirou a cabeça do meu ombro e estreitou os olhos, me encarando e escolhendo as melhores palavras.

– Vai se foder, Júlia, por achar que eu, *eu*, EUUUUU, vou deixar de falar com você só por que a gente não vai se ver todo dia? – falou Rafa. Priscila e eu rimos. – Quem você pensa que eu sou? Você acha que nossa amizade de doze anos é o quê? Acha que eu não tenho escolha? Eu te amo, porra, e se você tem essa ilusão de que vai se livrar de mim fácil assim, tenho más notícias.

– Eu não quero me livrar de vocês! – protestei.

– Que bom, porque você é meu último neurônio funcional e eu não posso te perder sem um aviso prévio de cinco anos – continuou Rafa. Essa era uma das nossas piadas internas, o que provocou gargalhadas. – Amo vocês duas e não sei o que vai ser da minha vida se vocês não estiverem comigo. Então, assim, tudo pode ser diferente ano que vem, mas a gente pode continuar igual? Por favor? Por favorzinho?

– A gente dá um jeito – concordou Priscila. – Mas antes a gente tem que prometer uma coisa.

– O quê?

– Não precisar entrar em outra casa mal-assombrada para conversar sobre nossos sentimentos.

Nós rimos e meu coração se acalmou um pouco.

Com dificuldade, Rafa e eu arrastamos Priscila até a cozinha, levando a cachorra acomodada dentro da mochila *jeans* que Rafa usava como se fosse sua segunda pele. Quando finalmente saímos para o quintal, o sol tinha quase desaparecido no céu e senti outro calafrio.

– Uai, tem uma porta ali? – apontou Priscila para um lugar no muro, entre as trepadeiras e as mangueiras, e eu apertei meus olhos.

– Não pode ser pro lado de fora, a gente investigou todos os lugares que poderiam servir de entrada – respondi, confusa.

– Eu digo que não custa nada tentar – falou Rafa, e puxou o canivete do bolso, entregando a mochila para mim e fazendo um sinal para esperarmos.

Priscila se apoiou totalmente em mim e eu lhe dei um semiabraço, ainda emotiva por causa da conversa.

– Você não precisa ter medo de conversar sobre a sua família com a gente, Ju – disse ela, me apertando contra si. – Acho que nem sei o que eu faria se não tivesse mamãe e mainha pra me apoiar em casa, sabe. As coisas seriam muito mais difíceis, e sei que, se você precisar, elas não vão ter problema nenhum em te acolher também.

– Obrigada.

– Agora, vem cá. Deixa eu te perguntar uma coisa: você também viu aquela boneca sinistra e achou que ia morrer?

Dei risada, mas daí Rafa voltou do muro como se tivesse visto uma assombração: não só havia uma porta no muro como ela estava *aberta* e dava para um beco estreito que a gente nem sabia que existia. Quando passamos, a porta bateu atrás de nós sozinha.

A gente não olhou para trás até chegar à rua principal...

E deparar com um carro de polícia, Nandinha e seu Ricardo esperando por nós.

Rafa saiu da sala do Seu Almeida com uma camada fina de suor na testa, e eu quase corri até lá para saber o que tinha acontecido. Mas, com um aceno de cabeça, eu voltei para o meu lugar e aguardei até que Rafa se sentasse ao meu lado.

– Ele vai ligar para a minha avó para confirmar.

– Ah, não. A gente não fez nada de errado! Nós somos heroínas, salvamos uma pobre cachorra cega e surda dos espíritos malignos! Não é possível, eu vou ter que ir conversar com ele.

– Ele tá achando que a gente é traficante de droga – explicou Rafa. Então viu Nandinha cochilando ao meu lado. – Cadê a Pri?

– A Dona Luísa levou ela para botar gelo no pé enquanto a gente não pode sair daqui. – Eu parei um segundo. – Traficante de droga? A gente? Você é praticamente o leãozinho do Proerd!

– Ah, aparentemente para Seu Ricardo apenas o uso de drogas pesadas justificaria alguns dos nossos comportamentos, e a versão que chegou à polícia foi que a gente invadiu a casa para montar uma boca de fumo.

– Isso é absurdo!

Rafa me encarou com surpresa genuína.

– *Isso* você acha absurdo? Não aquela boneca do demônio que a gente viu ou a porta que apareceu misteriosamente. Isso aqui que você acha absurdo.

– Você viu aquela boneca com seus próprios olhos, Rafa, não venha me dizer que ela não tem pelo menos um ou dois encostos.

– Eu não estou negando nada, só achei engraçado.

– Então você admite que a casa era de fato mal-assombrada.

– Acho que essa é a última das nossas preocupações agora que a gente saiu.

– Foi o sangue que você deu para a casa.

– Do que cê tá falando, véi!?

– Quando você mordeu a língua e cuspiu – recordei. – A casa pegou o seu sangue e deixou a gente ir.

Rafa arregalou os olhos, como se tivesse se esquecido completamente daquilo, e se benzeu, mesmo não seguindo uma religião.

– Se eu morrer, volto pra te assombrar.

– Tudo bem, eu não tô pronta pra me livrar de você ainda.

Ela riu. Um pouco depois, Dona Luísa, uma das policiais, voltou apoiando Priscila e a sentou ao nosso lado.

– Ela vai precisar ir pra Anápolis cuidar desse pé aí, viu. Se precisar, o Robson pode levar vocês na caminhonete. Vou falar com a sua avó depois, Rafa.

Nós agradecemos. Assim que ela desapareceu dentro da delegacia, eu me virei para Rafa e Priscila, sentindo uma onda de nervosismo no estômago.

– Queria pedir desculpa. Desculpa por ter convencido vocês a entrar naquela casa e por não pensar muito antes de agir. Também queria pedir desculpa por todo o chororô – falei meio constrangida. – Sei que não sou uma amiga muito boa, mas tô tentando melhorar.

– Júlia, não precisa pedir desculpa – foi Priscila quem falou.

– Olha, todos esses anos olhando aquela casa e só agora pulamos o muro. Você acha mesmo que a gente teria feito isso se não quisesse?

– Eu sei, mas toda a confusão aconteceu por minha causa.

– A verdade é que eu tava morrendo de curiosidade – confessou Priscila. – Então a culpa é compartilhada.

– Eu também queria muito saber o que tinha lá – acrescentou Rafa. – E, bem, eu até me arrependo, mas pelo menos a gente saiu como heroína, né.

– Como traficantes de heroína, você quis dizer – brinquei.

– E eu acho que tenho que dar o braço a torcer – disse Priscila com uma risada nervosa. – Talvez tenham acontecido coisas fora do comum naquela casa.

– Como assim *talvez*, Priscila?! Tem todos os indícios, não é possível.

– Existem explicações racionais para vários dos fenômenos que a gente observou – insistiu ela. Eu levantei as mãos, frustrada. – Mas que a sensação foi sinistra, foi.

A gente aguardou mais alguns minutos até que a avó de Rafa chegou à delegacia como uma tempestade, acordando Nandinha. Ela exigiu falar com Deus e o mundo, bradando sobre nossos direitos e o Estatuto da Criança e do Adolescente.

Depois de uma discussão acalorada com Seu Almeida, ela se aproximou de nós.

– Venham, meus amores. Podemos ir embora agora e ninguém mais vai atormentar vocês por motivos estúpidos. – Ela lançou um olhar fulminante para trás antes de sair pelas portas de forma dramática, com o colete florido esvoaçando, e Nandinha e o cachorro em sua cola.

Nos levantamos e seguimos mais devagar por causa de Priscila. Rafa tinha um meio sorriso no rosto, a satisfação clara de ver sua avó sendo tão eficiente. Vê-la tão revoltada em nossa defesa deixou meu coração mais leve, e senti bem menos culpa e angústia por pensar nela como parte da minha própria família.

Quem diria que conversar com seus melhores amigos podia ajudar com essas coisas, né?

Quando estávamos quase no meio-fio, parei para falar:

– Ah, eu tenho mais um pedido de desculpa.

Rafa e Priscila reviraram os olhos.

– Júlia, por favooor – implorou Rafa. – Quantas vezes a gente vai ter que dizer?

– Eu só sinto muito por vocês terem que aturar aquela boneca nos seus pesadelos pelos próximos meses.

E, com gargalhadas, a gente entrou no Opala da avó de Rafa e fomos embora.

CANGOMA

ALE SANTOS

– Passa a bola, seu fominha, *séloko*!

– Deixa comigo, fica na boa – respondeu o garoto baixinho e invocado, subindo a ladeira enquanto driblava entulhos, pedras e seus adversários.

Ele parecia confiante, mas à sua frente estava um dos maiores desafios que a turma da rua Drummond iria enfrentar: um goleiro robusto, trancando o gol. Dois pés de chinelos formavam as traves. Entre eles estava Pavão, que não tinha muita mobilidade, mas também não era necessária naquele momento, afinal o seu time estava ganhando e ainda conseguiram a melhor posição do jogo: o lado de cima da rua.

Jogar bola no morro tem dessas, quem fica em cima leva ligeira vantagem, só tem que tomar cuidado para não correr rápido demais e cair de cara no chão. Isso quando não acontecem alguns tropeços e trombadas. Certa vez, o moleque Tavinho bateu de frente com um dos irmãos e ficou caído no chão, sem ar. Todos riram, mas também pensaram que ele poderia morrer ou matar os outros de tantas gargalhadas.

Aos fins de semana, a garotada prefere jogar bola no campinho, descendo alguns barracos e dobrando outras vielas da favela Vila Clemente, mas era dia de semana e os garotos estavam apenas aproveitando uns minutos de descanso antes de voltar ao trabalho. A maior parte deles se ocupava com pequenos consertos. Havia muitas máquinas quebradas, desde tanquinhos de lavar roupa e geladeiras antigas até velhos computadores. Dispositivos considerados obsoletos depois que surgiu a MegaNet, uma nova frequência de internet. Ela exigia novos processadores, receptores de sinais avançados e telas ultramodernas. Quem tinha dinheiro foi substituindo tudo, quem não tinha ficou com as velharias, e isso criou todo um novo mercado de reposição de peças, trocas e manutenção na periferia. Outra parte dos moradores vendia comida, lanches, espetinhos e geladinhos nos dias de calor. Valia tudo para conseguir algumas frações da criptomoeda e ajudar em casa. A vida era tensa demais, então não dava pra desperdiçar os minutos com bobagem. Diversão era coisa séria.

– Ô, Ruan, passa essa bola! Se a gente perder de novo tu tá ferrado comigo. Não vai colar com os Malungos pra acessar a MegaNet, viu! – gritou um dos garotos, correndo adiantado no campo improvisado.

Era Biel. Tinha vários desenhos tribais feitos com lâmina no seu cabelo quase raspado, todo tingido de vermelho. Era o mais ousado no visual, gostava de fazer linhas nas sobrancelhas e usava as roupas mais maneiras da galera. Era muito respeitado pelos moleques da Vila e andava com os Malungos, um grupo criado por *nerds* que levantaram um bom servidor no meio da comunidade para reconectar a internet que o governo abandonara. Agora eles estavam envolvidos com coisas mais problemáticas, porém uma parte deles ainda mantinha ativos os servidores de rede usados por toda a comunidade. Isso garantia uma internet estável quando algo não quebrava... ou seja, quase nunca.

Ruan resolveu tocar o mais rápido possível.

– Ôxi, Ruan, demorô tanto pra fazer essa bosta? – Biel esfregava o cabelo quase raspado e cheio de estilo enquanto olhava para o resultado desastroso daquele passe de bola.

O goleiro Pavão estava longe de alcançar a bola, mas não por muito tempo.

– Ah não, cara, foi passar justo pro *Kim*! – continuou Biel.

– É Akin, porra, fala meu nome direito. – Eufórico, o jovem de lábios grossos e olhar afiado estava tentando se concentrar em direção aos chinelos.

Está certo, sua fama não entregava moral nenhuma. Ele era aquele moleque que a mãe mal deixava sair de casa, com horário contado pra voltar e ficar estudando por horas intermináveis na esperança de sair do subúrbio do Distrito de Tamuiá.

Tamuiá era uma megalópole constituída da união de todas as cidades que ficavam no caminho paulista do rio Paraíba do Sul e que agora já tinha cerca de 40 milhões de habitantes.

– Vou mostrar comé que se faz um gol decente nesse morro. – Akin concentrou todas as forças na perna e chutou em direção ao centro das traves-chinelos. O chute pareceu culminar em um estrondo. Instintivamente, todos taparam os ouvidos. – O Pavão saiu, foi gol!

Akin correu em direção à bola, na esquina, para recuperá-la e esfregá-la na cara dos outros moleques. Deparou com a polícia encurralando um dos colegas e voltou desesperado. Pensou em avisar os outros, mas já era tarde: Ruan estava algemado e os outros eram interrogados pela força policial.

Esse tipo de coisa era frequente desde que a Inteligência Artificial Cérberus foi implementada. Era uma inteligência artificial vigilante, com olhos fixos no Distrito em busca de atividades suspeitas, na intenção de evitar que elas escalem para criminosas. As estatísticas do governo apontavam uma diminuição da criminalidade para quase zero, porém só contavam com os dados da Área Central. No subúrbio, ninguém viu melhora. A única coisa que mudou ali foi a coerção policial, cada vez mais agressiva.

— Mão na cabeça, moleque! — Um dos homens chegou com uma arma de choque bem próxima da nuca de Akin. Seu capacete exibia dados em tempo real sobre o menino.

— Estava jogando bola com aqueles vagabundos também?

— Não... eu só estou indo para casa.

O medo gela o coração de qualquer um, não foi diferente com aquele jovem acanhado.

— Akin Imani, seu pai era um grande baderneiro, hein, moleque? Mas agora tá mansinho, mansinho. Aprendeu qual é o lugar dele e a respeitar os homens de bem. Pelo menos aquele arruaceiro deixou alguma coisa boa por aqui. Sua ficha é boa, tem boas notas e não anda pelas biqueiras que tem nesse fim de mundo. Segue teu rumo aí, vai. Cê sabe que se sair da linha vai ficar registrado em algum lugar. A gente pega tudo, sacou?

Akin não pensou duas vezes. Não era sempre que alguém saía ileso de um encontro desses. Engoliu a raiva; a polícia falar do seu pai foi golpe baixo. Ele não convivera muito com o cara, que foi preso enquanto participava de uma manifestação lá na Central. Agora estava pagando suas sentenças, assim como a maioria dos homens adultos que já moraram na Clemente. Eles eram enviados para um programa de trabalho voluntário: tinham redução da pena e ainda recebiam frações de criptomoeda para sustento de suas famílias. Mas, na real, a grana não dava para quase nada. As mulheres ficavam com a criançada e precisavam se virar lavando roupas e vendendo coisas pra pagar as altas taxas de eletricidade, água e gás que o Distrito cobrava.

Depois do susto, Akin correu pra casa, no alto do morro. Aquela parte era nova, o chão era batido, metade da rua tinha alguns paralelepípedos. Sua casa estava no tijolo, e o terreno era margeado por um muro de cimento e uma cerca elétrica — que mais assustava do que dava choque. Foi recebido por duas grandes patas sujas que saltaram ao seu encontro: era a Pantera, uma cadela mestiça. Lembrava um *dobermann*, com reluzentes pelos escuros e lisos, bem cuidados. – Pantera, como você está, garota? – Ele sabia que um acolhimento assim não era de graça. A cachorra adorava o dono, mas não era boba. – Ô, mãe, você colocou ração pra Pantera hoje? Ela tá com cara de fome. – Akin chegou, Bete. – A voz era da vizinha, a Dona Codinha. Gente boa, mas que adorava carregar uma história para fora de casa. Se ela estava ali, todo o quarteirão já estava sabendo que a polícia tinha cercado a Vila. – Fih, cadê você, Akin? – A mãe desceu com o cabelo trançado, olhos encharcados e abraço afetuoso. Perder o marido era um trauma do qual nunca se curara, talvez por isso criou o moleque como um almofadinha. Ela o apertou num abraço demorado, esquentou as bochechas do menino em seu corpo e agradeceu aos céus. – Obrigado, meu Jesus, Vige Maria e todos os santos por cuidar do meu bebê! Osómen te pararam? Dona Codinha viu eles pegarem aqueles meninos que tava jogando bola na rua Crispim.

A vizinha falastrona cortou o momento:

– É, mas eles estão aqui mesmo é por conta daquela história do tal do "Móço". Tão dizendo que ele anda por essas bandas daqui e que tá até trabalhando com os Malungos.

– Essa história aí é o maior caô, Dona Codinha. Nenhum gênio da tecnologia ia se juntar com aqueles perdidos. Moss é só um papo que os vagabundos criaram pra botar medo nos guardas. Se tem batida aqui, é porque alguma coisa rolou mesmo. – O semblante de Akin estava desassossegado.

– Pra mim é só um motivo que aquele computadorzão criou pra ficar dando batida aqui e ver se a gente tá quietinho ou se tá participando daquelas rebelião que fica estourando por aí – retrucou a senhora, balançando o dedo e apertando os olhos.

– Mãe eu tô bem, eles puxaram minha ficha.

– Viu só, cê tem uma mãe com a cabeça certa. Graçadeus eu não te deixo solto por aí, ainda mais nesses horários que só arruma confusão. Tu tem futuro Kim, tu vai sair desse morro pra trabalhar como homem livre porque eu tô guiando suas escolhas.

– Mãe... – Os olhos do menino ficaram profundos, entregando o que as palavras teimavam em não soltar.

– Eu sei, meu fio. Falaram do Ozeias, né? – Bete segurou os braços dele, procurando consolo para si e para o filho.

– Não sei quem ele é, nunca fez nada por mim, mas todo mundo vive comparando a gente, mãe. Eu não sou como ele, nunca vou ser. Sou livre, enquanto ele trabalha para os ricaços lá da Área Central. Vou tirar a senhora daqui e ninguém mais vai nos culpar pelos vacilos do velho.

Depois de um banho que afastou as mágoas de sua mente, Akin pegou o *notebook* que ganhou do projeto Tupiniquim para estudar programação. Foi o primeiro aluno a se destacar a ponto de receber um dispositivo com o sistema operacional Babel, desenvolvido para o pessoal da MegaNet.

Praticamente tudo que o dinheiro podia pagar trafegava por essa rede e utilizava esse sistema: as grandes corporações de entretenimento, desde canais de TV a *startups*, lojas virtuais ou físicas, e até o governo do Distrito o utilizava em repartições públicas. Assim, restringia-se o acesso dos melhores serviços e também daqueles que deveriam ser abertos a todos a quem podia acessar a rede. O código do sistema era truncado, difícil de programar, e não rodava naqueles dispositivos velhos que se acumulavam na periferia.

Anos antes, um grupo de investidores tinha criado o projeto Tupiniquim para treinar a molecada e tornar a rede mais acessível. Eles nunca enganaram ninguém: o interesse era mesmo uma licitação de milhões de criptomoedas, e grande parte disso ficava como lucro para os donos. Contudo, permitiam um ensino básico. As aulas eram bem teóricas e os professores, desleixados.

A situação mudou quando um prodígio apareceu. Era Akin. Com sua dedicação, foi além e surpreendeu o grupo, recebeu um *notebook* e a promessa de um estágio para se desenvolver. Era o seu orgulho, seu troféu e sua esperança de um futuro próspero, porém ele precisava ser comedido. O único *notebook* com o Babel de toda Vila Clemente era uma notícia que chamaria atenção de muitos, por isso ele preferia não espalhar.

Por sorte, a Dona Codinha não entendia nada de tecnologia. Certa vez, foi entrando como quem não quer nada e viu o dispositivo em cima da mesa. Era diferente demais. "Dá pra ver aquelas novelas chiques aí nessa coisa, Akin?", foi o que ela perguntou. Claro que dava, mas o garoto respondeu que não para despistar.

– Vou dormir. Bença, mãe! – gritou ele do quarto antes de apagar as luzes. Ouviu os passos chegando na porta, como acontecia todos os dias.deixou Bete cobrir seu corpo com a manta e acariciar seus cabelos.

– Dorme com os anjos, meu fio. Amanhã vou fazer aquela mandioquinha que você gosta no almoço. O Seu Zé da feira passou vendendo um monte de legumes por aqui, tava baratinho, não deu nem uma fração. Amanhã ocê estuda de tarde também, né?

– Sim, mãe. Escuta, não se preocupa com o dinheiro. Na próxima semana eu começo o estágio, eles vão dar comida lá e vai sobrar pra gente aqui, vai ter uma ajuda de custo além do almoço. Vai dar pra você fazer o cabelo ali na Deia.

– Ai fio, jura?

– Prometo, mãe. Te levo lá e depois a gente come um burgão.

Naquela noite, os dois sonharam com essa promessa.

As manhãs eram todas iguais, corridas. Só o tempo de acordar, morder algum pão, tomar um pingado e sair pra escola, que ficava no maior prédio público do morro, tinha uns 150 anos e estava escangalhada. Portas com dobradiças tortas e mesas escolares com partes faltando. Diziam que na Área Central nem existia mais esse tipo de sala de aula, que o pessoal estudava em casa acompanhando pela MegaNet e se reunia só uma vez por semana para fazer atividades em grupo.

Naquele dia, Akin sairia da escola direto para o Tupiniquim, então colocou o *notebook* dentro de uma capa protetora e o guardou na mochila. Se surpreendeu ao encontrar Biel se ajeitando no vagão apertado do trem.

– Fala, Biel. Tá de volta? – Acenou para o alto, tentando chamar atenção entre toda aquela galera enlatada.

– Não deu nada, Kim. Eles estavam atrás dos Malungos, parece que estão envolvidos numa rebelião aí. Tomara que aqueles filhos da puta queimem junto com todos aqueles prédios da Central.

Imediatamente, Akin abaixou a cabeça em sinal de reprovação. Sua moral era íntegra demais para aprovar qualquer rebelião contra o sistema criminal.

– Cê só fala bosta, Biel. Haha...
– Esqueci que tu passa um pano pros caras.

Akin e Biel saíram juntos do trem e seguiram a pé pelo resto do caminho. Biel adorava chamar a atenção e contar vantagens na escola, e naquele dia não foi diferente. O pai dele também foi presidiário. Naquela época, o homem passou alguns anos prestando serviço em um *hipershopping* na Central. Quando o lugar fechava e todos os ricaços saíam, a galera da limpeza passava a madrugada ajeitando tudo e dando um brilho para o dia seguinte. Cada serviçal usava um dispositivo no pescoço. Eram colares eletrônicos, bem apertados. Na frente da garganta tinha o número de registro, e o colar monitorava tudo o que cada presidiário fazia no dia. Não conseguiam dar um passo sem que a localização fosse registrada. Além do mais, a tecnologia do colar desativava outros dispositivos não permitidos pela Inteligência Artificial Cérberus para o detento. Como tudo na Central, os aparelhos mantinham uma interconexão digital com a MegaNet, por isso os serviçais não conseguiam fazer coisas como abrir porta de carros, entrar em casas e usar elevadores. Qualquer atividade diferente do trabalho designado era tratada como contravenção pela Cérberus e aumentava a duração da pena e do trabalho. O resultado era caótico: aquelas pessoas acumulavam contravenções atrás de contravenções e, ao final de um único dia, sua pena estava 2% maior. Ninguém escapava ou voltava a ser livre. O sistema era um rolo compressor, não dava chance para recuperação. O objetivo era recrutar mão de obra barata para os arranha-céus que os barões da criptomoeda construíam. Essa merda não tinha como dar certo, e eles sabiam disso. Rebeliões estouravam aos montes, sempre encabeçadas pelos grupos mais antigos e coléricos de serviçais. Numa delas, o pai do Biel levou um tiro, que pegou de raspão no colar e danificou o sistema de tal modo que ele se desligou. Sem perder tempo, o cara fugiu. Atravessou as ruas do Distrito à noite para não ser pego e conseguiu voltar para casa cheio de ódio. Agora, vivia tramando contra o sistema, reunindo algum pessoal e entrando em conflito nas divisas de cada área. Conseguiu a atenção de uma parte dos *nerds* que mantinham a internet da comunidade, aqueles com intenções mais revolucionárias, e dos *hackers* entre os Malungos. Não demorou muito para o grupo se converter em um tipo de guerrilha. Eram problema em carne e osso. Onde estivessem, a polícia chegava metendo bala. Quando muita gente já havia morrido nessa treta, surgiu a história de Moss, como um agrado para o imaginário daqueles arruaceiros.

Akin ainda estava meio de cara amarrada no intervalo de uma das aulas, quando alguém o chamou.

– Tá tudo bem com você, Akin? – As palavras vieram acompanhadas de um aroma frutado, combinando com um cabelo *black* exuberante.

– Oi Lila, tô sim. Só acho essas coisas do Biel, dos Malungos, uma babaquice só.

– Ai lindo, você é todo certinho demais, viu. A gente tá numa merda grande aqui, não só eu ou você, mas a Vila inteira. Todo mundo nas periferias desse Distrito imundo...

– Já vai começar a falar de política. Mas a verdade é que todo mundo conseguiria resolver a vida se botasse um esforço a mais e parasse de culpar os outros e o governo por tudo.

– Dizem que os Malungos se entopem de porcarias, mas parece que quem tá no efeito delas é você, né? Tá querendo dizer que todo mundo aqui na Clemente não se esforça o bastante? Para com essa merda escrota, Akin. Cê sabe que não tem essa de esforço não, a parada é loka. A gente ralando por frações de criptomoeda, subexistindo nos morros, e o pessoal lá na Central rindo e cuspindo créditos inteiros pra qualquer besteira que queiram comer ou comprar. Sem contar os pretos que são forçados a trabalhar lá. Seu pai tá lá, isso devia colocar juízo nessa sua cabeça.

– Eu não tenho pai, garota. O cretino resolveu se meter com a lei. Se fodeu, mas deixou minha mãe mais fodida ainda, comigo na barriga.

– Tadinho. Ainda não percebeu como o Distrito trata os homens daqui. Um dia você cresce e vai se ligar, meu nego.

Depois de discutir com a Lila, foi difícil se concentrar nas aulas. Os pensamentos sobre o pai, sobre a Área Central, sobre os perrengues que o pessoal da Vila passava... aquilo tudo não saía da cabeça de Akin.

"Sem tempo pra problematização. Vou estudar que é melhor", pensou. Antes de sair da sala, verificou se estava tudo certo com seu *notebook*. Não tinha percebido Biel se aproximando.

– Tem Tupiniquim hoje, seu *nerd*?

Akin tomou um susto e guardou rapidamente o aparelho na mochila.

– Tô indo pra lá – ele respondeu. – Se conseguir pegar o trem!

– Demorô – falou Biel, digitando em seu *smartphone* sem nem olhar para Akin.

Ele saiu correndo para pegar o transporte até a estação de trem, já que era uma boa caminhada de distância. Na Clemente, havia um sistema de transporte criado pelos próprios moradores. Eram vários carros, vans e ônibus conectados a um aplicativo na velha internet. Assim, com um celular, o pessoal podia ver o itinerário e saber qual transporte passaria perto e que trajeto iria fazer. Costumavam ficar nas rotas de maior demanda, e por sorte a estação era uma delas. O jovem foi até um dos pontos de passagem e ligou o alerta de passageiro no aplicativo. Em poucos minutos, uma van azul parou na frente dele.

– É Akin seu nome, moleque? Entra aí que tô no corre e já começou a chover.

O homem era das antigas. Estava ouvindo uns raps de outro século. O motorista parecia frenético, balançando os braços ao som da batida. Akin se sentou e ficou vendo fotos postadas no perfil do Fotogram da Lila. "Se essas redes sociais fossem criadas pelos caras da Central estariam valendo milhões de créditos em criptomoedas", pensou. Sua imaginação foi longe com aquela menina, e ele nem percebeu que durante o percurso só dois caras entraram no transporte, que geralmente ficava tão apertado quanto o trem... Vai ver a chuva tinha afastado os passageiros, já que vários pontos da Clemente alagavam com facilidade.

– Falaí, irmãozinho, tu não é aquele garoto que todo mundo fala do Tupiniquim? Que vai ganhar estágio lá na Central? – As palavras que romperam a concentração do Akin eram de um rapaz com um colete customizado, cheio de bótons. Seus braços eram cobertos de tatuagens africanas, algumas fáceis de reconhecer: eram símbolos dos ancestrais cultuados no morro.

– Foi o que disseram. Começo daqui uns dias.

– Pow, féra, é tu memo que a gente tava procurando. Bora lá, negão, acelera essa porra, Malungo. – O cara deu uns tapas na lataria da van enquanto falava.

Só então Akin olhou pelas janelas e se deu conta de que estava fora da rota para a estação.

– Para essa merda agora, o que cês querem de mim, carai?! Tá loko? Abre aí! – gritou.

Com socos, braçadas e empurrões, tentou abrir caminho até a porta da van, porém o efeito foi contrário. Um dos homens o segurou enquanto o outro lhe deu um choque com uma pequena arma. Akin só teve tempo de olhar para o cara ao volante que gargalhava e aumentava o som: "Sumindo com igrejas, e livros, e deuses e mitos / Nós somos o novo poder / Apagando todos seus falsos heróis da história / Nós somos o novo poder / Queimando bandeiras e cuspindo em seu líder / Somos o novo poder / Derrubo demônios, domino seus mimos igual dominó / Eu sou o novo poder".*

Akin se viu em uma floresta tropical. O cheiro das folhas era intenso. As frutas exalavam um perfume estonteante, suculentas demais, e estavam por toda parte. Ele não conseguia ficar de pé, mas não se alarmou. Na verdade, parecia se mover

---

* Trecho da canção "Novo Poder", composta e interpretada pelo rapper brasileiro BK, datada do começo do século XXI – mais precisamente, 2018. Compunha o álbum denominado *Gigantes*. Era a primeira vez que Akin ouvia aquele rap na vida, e as palavras ecoavam em seus ouvidos como gritos de uma rebelião.

mais rápido que o normal. Foi caminhando pela mata, ávido, tentando achar alguém para ajudá-lo a voltar, pegar o trem e chegar, enfim, ao Tupiniquim.

As palavras não saíam de sua boca. "Deve ser efeito do choque, ainda não sinto meu corpo direito, sei lá, pareço fora de mim", pensou. Apesar de os lábios não proferirem som algum, os ouvidos estavam aguçados: foi capaz de perceber a certa distância homens falando, então seguiu na direção deles e se aproximou cada vez mais. Tambores começaram a tocar ou era apenas seu coração batendo forte? Era difícil distinguir.

Sentiu algo muito errado no ambiente, o ar ficou rarefeito. "Caramba, o que é isso que eu tô sentindo?" Era pura adrenalina correndo em suas veias, antecedendo o mal que se espreitava na floresta.

As batidas culminaram em um tiro irrompendo o silêncio e a agonia.

– O próximo vai rachar o crânio daquela fera. – Um homem saiu dos arbustos em direção a Akin. Usava um colete feito com couro de anta, emanando um cheiro de folhas queimadas e morte. Havia indígenas com ele, vestidos com trapos. Alguns estavam a cavalo.

A reação do menino foi imediata, e ele correu como nunca para o meio do mato. Aquela descarga de adrenalina surtiu um bom efeito: seus músculos já estavam prontos, Akin mal acreditou na velocidade desenvolvida. Saltos ultrapassaram os limites humanos, reflexos desafiaram a realidade.

"Índios... em qual inferno aqueles filhos da puta me deixaram? Eu vou acabar com todos se sobreviver a isso." Nessa hora, ouviu um rugido forte. Normalmente teria medo, mas agora foi como um chamado, enchendo-o de esperança. Correu mais rápido ainda em direção ao bramido, cortou por entre as árvores. Ao redor, surgiram alguns gorilas e atrás deles vieram os elefantes, fazendo tremer o chão. Feras se reuniram em torno de um grande lago, e vários homens e mulheres as circundavam.

Pareciam caçadores de muitos povos diferentes: alguns tinham tatuagens, outros, escarificações; uns usavam máscaras, outros, lanças e escudos. Todos reverenciavam as feras. Humanos e animais abriram caminho para um leão, que subiu a pedra. Era ele o dono do urro que atiçou o coração de Akin. O garoto sentiu a boca ficar seca e bebeu água mergulhando o rosto no rio. Depois tomou fôlego e esperou sua respiração se acalmar. Procurou seu reflexo na água e descobriu por que não conseguia se levantar: espelhado ali não havia um menino, mas um jaguar. Um braço tocou seus ombros e o puxou bruscamente.

– Acorde – sussurrou a voz doce, prenunciando um lugar seguro.

Akin abriu os olhos e se viu deitado em uma cama. No pé, estavam os caras da van além de um rosto conhecido, Biel.

– Foi tão real... Que droga vocês me deram, seus cretinos? Biel, seu otário, armou essa merda pra mim?

– Não foi ele, Akin, fui eu. Acho que já ouviu meu nome em algum lugar, sou Moss. – aquela voz novamente, o tom tranquilo. Então Moss retirou a máscara e revelou o rosto.

O garoto viu uma mulher trans de cabelos compridos que se confundiam com a juba da máscara, tatuagens ancestrais por todo o corpo e colares coloridos, feitos artesanalmente com algumas peças de tecnologia, metais e madeira contornando a extensão do pescoço. Ela se parecia muito com algumas daquelas pessoas que vira no lago, como se viesse de um antigo povo africano.

– Vocês são aqueles arruaceiros dos Malungos, não vão se safar dessa. – Akin pegou o celular no bolso e levantou-se da cama, impositivo. – Estou emitindo um alerta para o sistema de segurança da Cérberus, em poucos minutos isto aqui vai estar lotado de drones policiais.

Os Malungos que estavam na van se moveram bruscamente em direção ao celular, mas foram barrados por Moss.

– Algumas pessoas utilizam a fé como ponte entre o mundo dos vivos, o dos espíritos e o dos ancestrais. Malungos utilizam a tecnologia. Sempre que capturam um de nós, a polícia criminal esfola nossa carne para descobrir a localização de nosso receptáculo. Estes artefatos que construí nos colocam em harmonia com as forças da natureza e nos ajudam a receber as bênçãos dos antigos. – A mulher ficou bem próxima de Akin e tocou os ombros dele, passando os dedos até o início de sua cervical.

– Ai! O que é isso? – O garoto se encolheu de dor.

Um dos Malungos ligou um projetor holográfico e transmitiu em tempo real os acontecimentos da sala. Ele deu um close na nuca de Akin: havia uma estrutura de nióbio talhada com símbolos milenares incrustada entre duas de suas vértebras.

– Este é seu receptáculo, Akin. É melhor cancelar o alerta, sabe como funciona. Eles atiram primeiro, perguntam depois.

– Moss se afastou.

– Seus filhos da puta, não vou me juntar a este grupinho de pervertidos. Foda-se todos vocês, vagabundos, me erra.

Enquanto desligava o celular, Akin abriu caminho com as mãos. Moss fez sinal para os outros lhe devolverem a mochila.

Seus olhos intumescidos pela fúria encararam mais uma vez o colega Biel, dizendo em pensamento: "Não vou deixar barato". Akin saiu correndo pela rua sem se importar quando os pingos de água engrossaram e as poças d'água começaram a encharcar suas meias. "Malditos desocupados", praguejou.

– Conseguiram quebrar o código-fonte do sistema operacional?

– Deu tudo certo. Assim que o *nerd* acessar a MegaNet de algum *link* na Central, ninguém vai conseguir parar Cangoma.

– Que seja. Os ancestrais guiarão tudo a partir de agora. Vamos nos preparar.

Era tarde demais para o curso. Além do mais, Akin não tinha nem condições de estudar. Foi desolado para casa, pegou um transporte e certificou-se de entrar em um veículo lotado. "Tem horas que essa merda de lotação dá uma segurança."

Ao descer, viu drones circulando pela Vila Clemente, analisando cada morador com o reconhecimento facial a distância. Ninguém passava batido. No portão de casa, ouviu os latidos agitados da Pantera.

– Manhê, o que que tá rolando aqui na rua?

Ele abriu o portão correndo e se surpreendeu com a cachorra se afugentando num canto, tremendo de medo.

– Que foi, menina? Vem aqui!

Ela se encolheu ainda mais e emitiu um choro engasgado, que foi silenciado pela chuva.

Sua mãe saiu da casa acompanhada de um homem que ele nunca tinha visto. Estava de terno, gravata e muito gel no cabelo escorrido para trás. Antes que pudesse se aproximar, drones surgiram e escanearam suas feições.

– Então você é o famoso Akin. Estava ansioso por conhecê-lo. Infelizmente não o encontramos no Tupiniquim hoje. Sou do conselho mantenedor do projeto e vim pessoalmente parabenizar seus esforços. Você começa amanhã a estagiar no Titã, o servidor central do Distrito.

– Me desculpe, senhor, a estação vira um inferno quando chove. O trem parou, não consegui chegar. – O garoto baixou a cabeça, sentindo-se derrotado por toda a situação.

– Espero que encontre meios para chegar amanhã, não vamos tolerar desculpas. Você é o primeiro a ganhar uma chance como essa, não a desperdice nem faça o povo da Central acreditar que o povo daqui não é esforçado o suficiente para um trabalho de verdade. Já conversei com sua mãe, vou me retirar antes que o tempo feche mais e alguma tempestade me aprisione aqui.

Assim que o homem saiu, Bete se virou para o filho.

– Fiquei preocupada, Akin. Falei pro moço que ocê é um garoto tão bom e tão educado. Preparei uma janta pra nós, ele não quis nem tocar na xícara de café. Mas vai lá se ajeitar, comer e descansar.

Exaurido, Akin não durou muito tempo acordado. Adormeceu no sofá da sala ao lado da mãe enquanto viam TV. Ela o cobriu com uma manta e fez uma oração para ele dormir. Poucas horas depois, já esticava os braços e esfregava os olhos. O dia nem se alumiara e já se escutavam passos descendo a ladeira, gente indo e vindo do trabalho. Quem trabalha longe vive numa peregrinação incessante entre transporte e caminhadas a fio.

– Fiz teu pingado, Akin.

– Bom dia, mãe. Hoje vai ser um belo dia.

– Deus abençoe, que seja.

Bete tomou conta, na porta, de observar o filho caminhando na madrugada gelada e ainda úmida. A chuva tinha passado, e o crepúsculo exibia um vermelho descarnado. "Hoje é o começo do fim dessa vida na comunidade", pensou o garoto, mas foi acometido por uma taquicardia repentina. "Eles vão rastrear esse negócio nas minhas costas? Será uma bomba, um vírus...?"

Pegou uma van, um trem e ainda caminhou por quase vinte minutos sozinho em direção à fronteira da Vila. Bem no limite existia uma grande torre de vigilância, de onde saíam os drones e a força policial que rondava o morro. Antes de se aproximar, uma viatura surgiu e vários homens armados fizeram uma abordagem:

– Vai atravessar pra onde, moleque? – perguntou um dos policiais enquanto outro passava um escâner em seu corpo para detectar armas ou drogas.

– Ele tá limpo, sargento. Tem um registro de liberação aqui no sistema pra estágio.

O sargento começou a gargalhar e deu sinal para os policiais baixarem as armas.

– Ele está pensando que vai ficar atravessando aqui todo dia, haha. Está se achando espertalhão, o diferentão da turma. Alguém conta pra ele.

Akin sentiu, inconsolado, sua moral se arrefecer diante daquela cena. Respirou fundo, mas o sargento continuou gargalhando e falando:

– Todo dia a gente joga nestas celas aqui um bando de crioulos como você. Todo mundo se achando o fodão, mas vocês não mudam nada, só o que muda é o nome das armas ou das drogas. A sua é essa: estágio. Mas eu vejo nos seus olhos a merda que vai fazer pra lá na Central. Vai acabar trancafiado igual estes moleques daqui, porque é o que você sempre será, seu bosta! Deixem passar, a gente se encontra em breve. – Sorriu enquanto engatilhava a arma de cano longo e mirava na cara de Akin.

Quando o medo começou a estraçalhar sua alma, Akin se encolheu a ponto de quase sumir. O suor frio escorreu por suas costas, e as pernas não respondiam ao cérebro que pedia "Anda, corre, se mexe, porra!". Uma lágrima ensaiou cair, mas o que veio foi uma força que ele nunca imaginara ter. Seu coração tocou como um tambor de guerra, o medo deu lugar à coragem, e a desolação foi esgarçada pela esperança.

– Te conheço, Josué. Você sempre nos caçou. No mato ou no morro, mas eu tô fechado pra ti. Aqui você não tem licença, me deixa passar porque os caminhos já foram abertos.

– Você me chamou de... – O sargento ficou sem reação.

Akin atravessou a área de segurança da torre até a Vila Operária.

Uma fábrica de trilhos e vagões se instalou nessa região menos de duzentos anos antes. Cresceu monumentalmente e uma vila foi construída ao redor, para os funcionários que se intercalavam em turnos sem fim. Hoje, a maior parte dos funcionários vinha do sistema criminal, e eles dormiam em um complexo de celas construído na antiga Vila. Cortando toda a extensão da Zona Industrial havia um metrô, cuja única linha levava para fora do inferno, ligando a Vila Operária à Área Central.

Chegando à estação, um drone instrutor, de pequeno porte e flutuando bem próximo do solo, passou a acompanhar Akin. O vagão estava vazio; o construto e o jovem eram os únicos passageiros. "Ninguém vai, ninguém volta da Central", refletiu. Evitou pensar no que havia acontecido há pouco, com o sargento. Passou a mão na nuca e percebeu que seu receptáculo emanava um pouco de calor. *Algumas pessoas utilizam a fé como ponte entre o mundo dos vivos, o dos espíritos e o dos ancestrais. Malungos utilizam a tecnologia.* Lembrou-se das palavras de Moss.

O metrô andou por minutos em túneis cinza-escuros, com suas paredes rústicas semicobertas por tubulações industriais e suas luzes amareladas. Depois, por um lapso de minutos, tudo escureceu, e um feixe de luz que irradiava ao fundo começou a crescer. Trouxe junto a riqueza tecnológica da Área Central: luzes de led, letreiros digitais e imagens que pairavam no ar com projeções holográficas, algumas das quais invadiram os vagões fazendo propagandas de coisas que Akin jamais imaginara existir. Por exemplo, a população da Área Central pagava criptomoedas por serviços leiloados pelo sistema criminal. Os presidiários mais destacados em serviços de limpeza, manutenção de redes, cozinha e qualquer coisa que pudesse convertê-los em serviçais recebiam classificações e comentários na MegaNet. Os ricaços pagavam pelos serviços e o sistema criminal direcionava o preso até o local designado. "E aqueles que não trabalham bem?" Suas palavras ficaram estancadas na boca. "Esse drone deve estar conectado à Cérberus. Eles estão me avaliando desde que nos encontramos, não posso deslizar e perder esse estágio."

Ao sair do primeiro túnel, as janelas presenciaram uma verdadeira aurora boreal emanando dos arranha-céus e prédios cheios de propaganda. "Tamuiá, o Distrito que não dorme", lia-se em uma das placas. Algumas pessoas se locomoviam de patinetes elétricos, outras usavam carros enormes com faróis de xenon e totalmente automatizados, que não precisavam de motoristas nem de bancos frontais. Akin não conseguiu observar as rodas, estavam rebaixadas com um sistema magnético de amortecimento.

Devagar, o êxtase foi diminuindo e seus olhos tocaram visões mais profundas: nas calçadas frias dos prédios, homens arrastavam caixas de lixo, vassouras, abriam portas de carros e, mesmo atormentados pelo cansaço, continuavam sua rotina. Eram sombras das ruas, fantasmas invisíveis aos olhos dos "cidadãos" que usufruem tudo do bom e do melhor que a Central poderia oferecer. Observando melhor, os olhos deles ocultavam o domínio de uma força mais aterradora que o cansaço e a fome; seus pescoços eram circundados por um dispositivo, exatamente como descrito por Biel, todavia não se parecia com um colar... Eram verdadeiras coleiras eletrônicas. As portas se abriam conforme a programação, somente para quem estava autorizado a entrar e sair. Qualquer vontade de chamar esses homens de vagabundos se esvaziou da mente de Akin. A realidade era bem mais cruel do que ele imaginara. "Parece um cativeiro", esse pensamento cruzou sua mente como um punhal.

– Estamos chegando, Akin – A voz emitida pelo drone instrutor lembrava a de um homem de 40 anos de idade. Mas cristalina e resoluta, sem emoções, apenas palavras.

À frente, nas janelas do metrô, o maior de todos os arranha-céus surgiu retumbante. Alguns trovões tocavam suas antenas e a eletricidade iluminava as janelas que se estendiam por toda a edificação. Drones de todos os tipos – criminais, instrutores, ferramenteiros e auxiliares – trafegavam no entorno.

– A Torre Central, bem na hora! – exclamou o garoto.

Os primeiros raios solares denunciaram as oito da manhã. Akin se levantou do assento do metrô e ali mesmo deu uma esticada no corpo, ajeitou a camisa e ajustou o cinto. Quando a porta abriu, encontrou o mesmo homem que o visitou em casa na Clemente. Ele usava um terno parecido com o daquele dia, mas sua pele estava mais pálida, ou talvez fosse a iluminação que a deixava um pouco mais branca. Desta vez ele estava acompanhado, ou melhor, escoltado por dois homens armados. Não usavam capacetes como o pessoal da ronda na comunidade. Seus coletes eram mais modernos, sua comunicação acontecia por meio das lentes conectadas à Inteligência Artificial Cérberus. Recebiam informações em tempo real do que lhes cabia para a ação.

– Suspeito que não tenha ainda me apresentado, garoto. Sou Fernando Minsky, mas não se preocupe com isso, pois para onde você vai não será necessário. Você precisa deixar qualquer bugiganga que trouxe do morro aqui com estes homens.

Akin abriu a mochila e tirou seu *smartphone* customizado pela galera da Vila. Pegou um *tablet* que usava para ler e os muitos fios e carregadores de tudo, além de uma bateria portátil. Entregou todas essas coisas velhas.

– De que século você veio, rapaz? Haha. – O homem respirou fundo, terminando a gargalhada. – Sempre soube que gente como vocês são hilárias, mas vamos parar de brincar agora, rapazes.

As feições do rosto dele se fecharam enquanto os guardas seguraram forte os braços de Akin. Minsky continuou falando, agora com uma voz mais grave, porém com nuances de ironia e sadismo:

– A história é sempre a mesma. Nós instalamos em algum desses morros degradantes uma unidade educacional e prometemos a chance de mudar de vida. Uma parte disso é verdade, a parte que eu gosto. Vou mostrar.

Neste momento, um drone auxiliar avermelhado se aproximou.

– Senhor Fernando, o que está fazendo? Mandem me soltar. – Akin tentou puxar os braços.

– Cala a boca, arruaceiro pretensioso. Acha mesmo que existe espaço para você entre nós? Aqui na alta civilização, onde compartilhamos a segurança e os maiores valores de cidadania? O esgoto em que nasceu não cria bons homens ou mulheres. Veja ao redor: são estes que nos servem. Humanoides comprovadamente inferiores, que nem conseguem localizar sua posição social, rendem-se aos únicos instintos que lhes cabe, a violência.

– Senhor, eu tenho família e sou um dos melhores da escola. Tenho notas boas, estão no sistema, você viu!

– Por mais que seus atributos individuais possam inspirar ideias de humanidade cívica, nós da Área Central não podemos nos omitir da inferioridade oriunda de um fenômeno de ordem perfeitamente natural, produto da marcha desigual do desenvolvimento humano em determinados setores do Distrito. Vocês nascem para e pela violência, e todos os nossos experimentos empíricos comprovaram de forma contundente que sempre despertam atos de rebeldia e criminalidade. Alguns mais que outros.

"Filho da puta esnobe", quase sussurrou Akin, mas sua educação o impediu.

Os homens o carregaram até a ala médica. Num dos corredores, cruzaram com um velho barbudo que fitou a entrada do menino. O serviçal estava levando pastas e papéis para os executivos da Torre. Ele parou na frente de Akin como quem não acreditava no que via.

– *Trrshssss.* – Um tipo de murmúrio saiu de suas cordas vocais, um som semelhante ao de angústia e padecimento. Foi interrompido por uma descarga no pescoço que desligou completamente seu sistema nervoso. Caiu convulsionando. Outros serviçais chegaram para fazer a limpeza e arrastar o velhote.

"*Três...* Foi isso que ele tentou dizer, mas será que significa alguma coisa?" Quando deu por si, o drone auxiliar estava adiantado, já em frente a uma porta espessa, que se abriu segundos depois e de onde surgiu uma mulher com máscara de médica.

– Esse vem de onde?

– Eles chamam aquele muquifo de Vila Clemente, doutora Mariana.

– Bom... tanto faz, precisamos dele em um estágio de semiconsciência. Esta injeção vai resolver.

– Eu não quero, me larga. Senhor Fernando, por favor! ... – Akin sentiu a agulha perfurá-lo, então seu corpo amoleceu e os sons pareciam mais distantes.

Akin foi colocado semiconsciente em uma câmara, com vários eletrodos grudados no peito e na cabeça que transmitiam informações para uma tela. A imagem apresentou algo diferente na nuca de Akin, e a médica tocou o receptáculo instalado por Moss.

– O que significa isso? Alguém introduziu esse dispositivo obsoleto e disfuncional na coluna do nosso espécime.

– Dá para retirar? — perguntou Fernando.

– Dá, mas ele morre. – É melhor seguirmos assim. De todo modo, as chances são menores, senhor.

– Entendi. Você é quem sabe, doutora.

Akin sentia que seu corpo e sua mente lhe escapavam, mas tentava observar tudo com uma atenção desesperada. Fernando continuou:

– O negócio é o seguinte, Akin: a sua gente adora uma rebelião, não é? Viu ali o velho barbudo? Nós poderíamos exterminar todo mundo, mas aí teríamos de botar a mão na massa podre, fazer o serviço sujo que vocês adoram fazer. Então, a gente precisa encontrar os líderes, matar a cobra pestilenta pela cabeça e dar exemplo para os outros. Você pode continuar sendo esse menino educado de quem a gente gosta e nos ajudar. Como não vai conseguir falar, pode mexer a cabeça pra me responder.

As palavras entravam como estilhaços de vidro nos ouvidos de Akin. "Ninguém volta da Central... é verdade." Lágrimas rolaram pelas suas bochechas. Fernando então deu início ao interrogatório: – Você conheceu ou é amigo de algum desses rebeldes conhecidos como Malungos? – Fernando segurava o maxilar do garoto e olhava fixo para sua íris. – Balança a cabeça se sim.

"Quem diria que esse dia chegaria..." Akin não moveu a cabeça, não olhou para o lado, apenas ignorou o cara.

– Não quer ajudar, rapaz? Quero ver aquele filho obediente da Bete me responder. A gente busca ela se precisar.

A menção ao nome de Bete fez a pupila de Akin dilatar, ele fez que não com a cabeça e deixou mais lágrimas escorrerem. Fernando não se importava com as emoções de quem ele considerava inferior. Continuou:

– Esse dispositivo aqui na sua nuca tem alguma coisa a ver com os Malungos? Você já encontrou com o Moss?

Mais uma vez Akin ficou imóvel. "O mundo é um rolê muito louco. Você passa a vida tentando seguir as regras do jogo e descobre que são elas, as regras, que tão te sacaneando." O garoto olhou de volta para seu carrasco e sorriu. "Foda-se, não vão pegar os Malungos."

Akin manteve-se firme em sua decisão de não ceder.

– Não vai dar nenhuma resposta mesmo, moleque? Você é um inútil. Agora é contigo doutora. Pode limpar esse aqui, que ele não tem salvação.

A "limpeza" era parte do plano aparentemente perfeito da Cérberus: substituir a consciência de alguns dos "espécimes" por uma inteligência artificial, capaz de se infiltrar para desestabilizar qualquer foco de resistência e rebeldia dentro das comunidades. Comportamentos, trejeitos e até emoções podiam ser captados pelo *notebook* que foi entregue ao Akin, de modo que a sua programação fosse capaz de manter as aparências. Só que ninguém nunca sobrevivera ao procedimento. Faíscas dançavam nos olhos castanhos de Akin enquanto os computadores monitoravam as funções cerebrais.

– Estamos atuando no sistema límbico. É importante manter os padrões de sinapses para não desconfigurar as emoções. O espécime corresponde bem, temos grande chance de conseguir uma conversão com este aqui, senhor Minsky.

"Quantas almas são destruídas sem que tenham tempo de chorar", pensou Akin. A escuridão tomava conta da sua mente, a respiração movia-se para um estágio próximo ao sono.

Era o fim, ele sabia. Sentia como se mil agulhas invadissem seu cérebro por meio dos eletrodos... e essa nem era a maior dor que ele sentia. Explodia em seu peito a angústia de perder a memória da mãe. "Eu prometi pra ela que sairíamos da pobreza." Pensou nos dias que Bete deixou seu pingado com pão sobre a mesa e ele foi para a escola sabendo que ela não teria o mesmo para comer. Nas vezes que ela usou as últimas criptomoedas para o transporte do filho e, depois, comeram apenas fubá no almoço para compensar.

Akin buscou justiça por toda a sua vida e descobriu que ninguém fora da sua bolha iria recompensar seu esforço. "Às vezes o mundo te quebra, de um jeito ou de outro." A ironia da vida surgia em momentos inesperados. Para Akin, veio em forma da última memória do pai. Uma recordação já quase apagada. Ele sempre viu o velho como um pária da sociedade, um rebelado, mas como esperar amor de alguém a quem a vida só entregou dor?

– É o fim, senhor Minsky – avisou a doutora. – Agora precisamos provocar uma parada cardíaca em Akin para poder fazer um *reboot* no cérebro dele.

O silêncio precedeu os últimos batimentos no peito do garoto. Os braços gélidos da morte o envolveram. Ele gritou de dor com o golpe da injeção que paralisou seu coração segundos depois.

Seus olhos se abriram na floresta. Ele estava sozinho e desolado. Sentiu frio. Uma névoa cobria toda a mata e ele não enxergava um palmo à frente. "Estou aqui de novo, deve ser o mundo dos espíritos." Não sentiu o cheiro de humanos por perto... nenhum ser vivo. Parecia um cenário de guerra, com corpos dilacerados estendendo-se no chão de folhas velhas e úmidas. Viu uma tocha acesa a alguns passos de distância. Não pressentiu perigo, por isso foi em direção a ela. Uma figura humana começou a ganhar forma a cada passo que ele dava.

– Olá, Akin. Estava te esperando, não fique triste. A morte é como um manto que todos devem usar.

– Então é o fim?

– Não se apegue a esse maniqueísmo. A nossa posição na linha do tempo é muito imprecisa, estamos sempre no começo ou no meio de alguma coisa. Deus sabe que ainda existe um plano para aqueles que não estão mais no mundo dos homens. Não é o seu caso nem o meu.

A figura ainda nublada deixou cair sua tocha. Ao tocar o chão, o fogo começou a se espalhar por algumas folhas semissecas, afastando a neblina e revelando uma máscara africana com a face de um leão. Os olhos por trás da máscara brilhavam como um fogo branco, intenso.

– Moss! – exclamou Akin.

Após reconhecer a líder dos Malungos, percebeu que mais pessoas foram se aproximando, todos carregando tochas, armas, alguns utilizando máscaras e receptáculos tecnológicos que brilhavam como a de Moss. Vários animais se juntaram ao grupo, e um rugido límpido e imponente incendiou a alma de todos.

– O que é isso? – perguntou o garoto.

– Cangoma te chamou para acabar com o cativeiro que impuseram aos homens da nossa comunidade. Volte e faça o jogo deles. Estamos prontos para recuperar o que é nosso, mas tudo depende de você conectar seu *notebook* à MegaNet. Com isso, Cangoma fará a Cérberus entrar em colapso.

Um calor subiu pela espinha dele. Era o receptáculo inserido pelos Malungos. Sentiu os batimentos voltarem e o sangue aquecer suas veias. "Como saber se estamos prontos para lutar pelo que é necessário?", perguntou-se em silêncio.

– Ele está voltando, doutora. Deu certo! – celebrou Fernando.

– Sim. As sinapses estão intactas. Mantivemos alguns padrões, mas é possível ver que o cérebro foi reestruturado – analisou a doutora.

– Levanta crioulo, hora de trabalhar. – Fernando Minsky bofeteou o rosto do garoto enquanto os eletrodos eram retirados.

"Só preciso obedecê-lo... e isso foi tudo o que fiz a porra da minha vida inteira. Só segui o que achava certo. E só me fodi."

Os olhos de Akin fixaram-se no rosto dos dois canalhas que o levaram a óbito, só que agora brilhavam de maneira distinta. Não era mais Akin, simplesmente. Ele tinha recebido a ferocidade de seu ancestral, Nebiri, o leopardo. Com uma velocidade absurda, se levantou da maca, empurrou o homem que pesava sobre seu corpo e tomou posse de sua pistola automática. Sem pestanejar, atirou na médica várias vezes, descarregando com ódio as balas de metal ionizado, capazes de destruir os átomos de qualquer colete de proteção.

– Caralho, nunca vi uma dessas lá na vila – gritou empolgado enquanto corria para derrubar Minsky. Pisou sobre seu peito e apontou para a cabeça do homem.

– Sempre soube que cada um de vocês carrega o gene da violência – disse Fernando –, vocês são a escória desse Distrito. A Cérberus está programada para exterminá-los lentamente.

Afaste-se agora e eu não transformarei a Bete em uma prostituta como ela e todas as mulheres do morro deveriam ser.

— Cala a boca, seu escroto!

Akin tombou o cara com vários disparos à queima-roupa. Viu sua mochila jogada no canto da sala, abriu-a e tirou o *notebook* de dentro. Fez *login* em sua conta e encontrou um ícone diferente na área de trabalho: um arquivo chamado "Cangoma".

— Tomara que esse lance possa mesmo desestabilizar a Cérberus, senão aquele programa maldito vai enviar mais gente pra cá.

Acessou a MegaNet, depois se escondeu e esperou algumas horas para ver o que iria acontecer. A calmaria causava aflição. Quando percebeu que não enviaram ninguém para caçá-lo, resolveu sair do local. As luzes do prédio piscavam lá fora. "Começou." Seus instintos lhe mostraram o caminho.

Saiu pela porta da frente. Lá fora, os drones voavam desgovernados. Dois trombaram sobre sua cabeça, e ele deu um salto ao ouvir o impacto. Bem na hora! Os drones caíram como projéteis explosivos, estilhaçando janelas e amassando a lataria daqueles carrões luxuosos. Ele passou por uma loja de eletrônicos, onde viu os telões apagados e alguns vendedores com cabelos coloridos e roupas caras escondendo-se num canto, olhando com muito medo para o garoto. Akin pegou um dos *smartphones* modernos e ligou o aparelho. Acessou as notícias pela MegaNet: as manchetes falavam de uma rebelião generalizada do sistema criminal. Os colares de controle tinham sido desligados. Vários serviçais estavam dominando o *hipershopping* enquanto outros entravam em confronto com guardas por toda a região. Uma grande tropa de choque estava chegando para confrontá-los.

— Tem um aqui, socorro! — gritou alguém do fundo da loja.

Akin deixou o *smartphone* sobre a bancada. "Esses sacanas tão achando ainda que o ladrão sou eu." Correu como nunca em direção ao metrô que o tinha trazido até a Área Central. No meio do caminho, deparou com a tropa da força policial, armada até os dentes, mas em seus semblantes, agora, o temor havia sobreposto o ódio. Os policiais começaram a atirar em direção a Akin, que pulou por uma das janelas quebradas no seu entorno.

– Por aqui – sussurrou uma voz. Um rapaz de aproximadamente 20 anos esticou a mão, puxando o corpo de Akin por uma escotilha no teto. – Eu limpava essa bagaça de loja já fazia uns três ou quatro anos. Sempre fiquei imaginando qual caminho tomaria se precisasse fugir. Conheço cada canto daqui.

– Valeu, irmão. Sou Akin.

– Sou o Th708... Quer dizer, Thomas – corrigiu-se o rapaz.

– Aqui a gente passa tanto tempo sendo identificado por um código que perde a noção da identidade. Vamos correr, porque a coisa vai ficar feia lá fora.

Eles escutaram bombas de fumaça e rajadas de balas estilhaçando as paredes da loja. Se arrastaram por um caminho estreito pelo teto até os fundos da loja, depois escorregaram pelo coletor de lixo e caíram em uma rua vazia.

– Aonde tu vai agora, Akin?

– Pra Vila Clemente, e você?

– Sei lá, tá todo mundo morto lá no morro que nasci. A prisão era minha casa, vou ter que achar outra.

– Vai ficar tudo bem. Se cuida, mano.

– Você também! Os guardas estão babando pra acertar um de nós.

– Tô ligado.

Desta vez, Akin foi mais esperto, andou se espreitando pelas esquinas até chegar no metrô. A estação estava completamente erma, um vazio que até baixava a temperatura do local. Ouviu um vagão se aproximar. De fora pôde enfim perceber sua velocidade magnífica, porém o que viu lá dentro deixou Akin atônito. Estava lotado, e algumas centenas de homens e mulheres desceram na estação. Todos usavam receptáculos, máscaras, armas adaptadas e remodeladas com a tecnologia dos Malungos. Eles passaram pelo garoto sem se preocupar com ele. Minutos depois, surgiu Moss.

– Siga seu caminho, meu filho – disse ela.

– É o maior desejo do meu coração, Moss. Nos encontraremos de novo?

– Um dia, você será um dos maiores guerreiros do nosso povo. Se eu estiver viva ou não, adorarei encontrá-lo. Corre, a porta vai fechar.

O sol estava se pondo quando o metrô começou a levar Akin para longe dali. As luzes ainda estavam apagadas, mas a cidade parecia iluminada pelo fogo que engolia a Torre Central. Muita fumaça se espalhava a partir dela.

"Daqui a pouco, todo mundo na Clemente vai saber que a Central tá pegando fogo. E aí vão chamar os Malungos de revoltados, isso que é foda. O pessoal nem sabe que inferno era ali, porque vive afastado demais, só acreditando que tem espaço pra todo mundo sob o sol na realidade vendida pelos ricaços. Vou falar o quê? Eu também tava nessa até ontem, porra. Tive que morrer pra acordar. A mãe não vai gostar de saber que eu atirei em duas pessoas, acho que vou deixar quieto essa." Ficou gargalhando por alguns minutos enquanto pensava nisso.

No fundo, Akin entendeu que não existia nada mais revolucionário ou rebelde do que se manter vivo e ter ambições em um mundo que te odeia, que te humilha e quer ver você enterrado na mesma cova da pobreza que seus ancestrais.

– Não tem como olhar pra essa realidade e se manter o mesmo.

Na Zona Industrial, saiu do metrô e atravessou a torre de segurança. Os carros ali já haviam virado cinzas. Akin observou um homem se arrastando, machucado. Era Josué, um daqueles vigilantes babacas. Ajudou-o a andar até um dos pontos onde passava um transporte. Josué agradeceu a comiseração do garoto.

– Volta pra casa, mano. Respeita mais o morro que nasceu. Essa galera precisa mais da sua proteção do que alguns dos barões com criptomoedas até o rabo – disse Akin, antes de se despedir. Ninguém mais vigiava a torre.

Pegou um transporte e, um tempo depois, já conseguiu ouvir o latido da Pantera e sua mãe gritando no portão. A noite tinha alcançado a Vila Clemente trazendo as estrelas pra iluminar o morro e dar vida aos moradores. Na rua, a garotada estava reunida pra curtir um rap ou para comer lanches que exalavam um aroma irresistível.

– Kim, meu fio, já voltou? Pessoal todo comentando da baderna que tá na Central. Creindeuspai, que bom que voltou.

– Começa a arrumar as coisas mãe, a gente vai mudar amanhã.

– Pra onde tá pensando que a gente vai, Akin?

– Prometi que ia te levar embora daqui, mãe. E também a gente precisa muito ir pra Central agora.

– Mas tá uma guerra lá meu filho, o que a gente vai caçar lá?

– Achar meu pai.

– O quê?

– É isso mesmo, mãe. E eu não sei como ele é. Só você vai reconhecer o velho.

– Então cê acabou perdoando ele, fio?

– Não é questão de perdoar, mãe. É que pela primeira vez comecei a entender as razões dele.

SOBRE OS AUTORES

ALE SANTOS

"Lembro até hoje das tardes que passava na casa de meus primos. Crescemos no mesmo morro e apenas um deles tinha um *videogame* Super Nintendo. Promovíamos torneios de Fifa Soccer e eu sempre perdia porque sou péssimo em futebol (no *game* e na vida). Um dia, nosso primo mais velho chegou com algo que revolucionou a turma: um DVD de *Hip-hop*. Foi a primeira vez que vi e ouvi aqueles caras. Eles ostentavam palavras poderosas, e me ensinavam como responder a quem me dizia que um *nerd* negro só poderia ser o Cirilo (aquele personagem da novela *Carrossel*). Assim, o jogo mudou quando encontrei o Rap – que faz parte do movimento *Hip-hop* – naquele DVD. O Rap inspira minhas narrativas imaginárias. E, desde então, cada passo que dou encaro como as batidas que constroem a melodia da minha vida."

Natural de Cruzeiro, interior de São Paulo, é publicitário especialista em *games* e *storytelling*. Teve acesso à universidade por meio das cotas do Prouni. Conhecido como "o cronista dos negros no Twitter", usa as *threads* para combater o racismo com informação. É autor de sci-fi e fantasia afroamericana para o público jovem, tendo participado de uma coletânea mundial. Colabora com veículos de comunicação como *Super Interessante* e *The Intercept Brasil*.

BÁRBARA MORAIS

"Quando eu era pequena, tinha um vizinho que chamávamos carinhosamente de 'Velho Barbeiro'. O Velho Barbeiro tinha esse nome por um motivo: toda vez que ele via uma criança brincando na rua, acelerava o carro na nossa direção. Ele devia ter uns 100 anos de idade e na frente de sua casa havia duas carrancas gigantescas, quase do nosso tamanho, com as bocarras abertas e os dentes pra fora. Todas as vezes que passávamos naquela porta, uma música instrumental começava a tocar, desafinada e desordenada como um bando de papagaios batendo panelas. O Velho Barbeiro foi o primeiro vizinho maluco que tive e, com suas tendências homicidas e a contribuição das carrancas para a minha formação cultural, foi um belo treino para enfrentar todos os vizinhos que eu teria ao longo dos anos. Tinha uma que a gente chamava de Bruxa do 71 porque... Bem, talvez essa não seja uma história para este livro. Quem sabe quando a gente falar de segundas vezes?"

Economista e escritora, nascida em Brasília. Fala sobre livros na internet desde 2008 e entre *blogs*, *sites* e *newsletters*, hoje mantém o Pode Entrar, *podcast* dedicado exclusivamente a obras ficcionais sobre vampiros. É autora de várias obras de fantasia e ficção científica, como a Trilogia Anômalos, uma distopia juvenil, e os contos "Garotas Mágicas Super Natalinas", na coletânea *Todas as Cores do Natal* e "O Fantasma Vem para a Festa", em *Aqui quem fala é da Terra*.

FERNANDA NIA

"Crescer e virar adulto é atravessar uma tempestade de novas experiências e deixar que elas nos transformem. Então encontrar, a cada autorreconstrução, um pedacinho novo dentro da gente que ainda não conhecíamos. Até que, de redescoberta em redescoberta, começamos a enxergar, por trás de tudo, quem realmente somos. No fim, toda 'primeira vez' nos faz aprender um pouco mais sobre aquela pessoa com quem passamos mais tempo nas nossas vidas: nós mesmos."

Escritora, quadrinista e ilustradora carioca. Começou seu trabalho autoral em 2011, ao criar o site *Como eu realmente*, que em 2014 originou uma série de livros. Em 2018, pela editora Plataforma21, a autora estreou na literatura jovem com *Mensageira da sorte*, grande destaque da Bienal do Livro de São Paulo no mesmo ano. Além das aventuras de *Como eu realmente*, Fernanda Nia ilustra e cria conteúdo para outros livros e materiais do mercado editorial e publicitário.

JIM ANOTSU

"Eu amo livros. Sempre amei histórias. Contudo, lembro direitinho o dia em que senti a Mágica da literatura pela primeira vez, aos 11 anos de idade, lendo Robert Louis Stevenson, meu escritor favorito até hoje. (Todo mundo acha que é Shakespeare, mas Bill é apenas o segundo colocado). Estou falando da mágica que apenas um livro muito bom pode causar. Foi a minha primeira vez lendo Stevenson, *A Ilha do Tesouro* era o livro. Eu realmente consegui sentir o cheiro do mar, o toque da areia, e escutei a madeira da paliçada sendo destruída com tiros. Eu podia sentir o fedor de Long John Silver e escutar o seu maldito papagaio gritando 'Peças de Oito' e outras palavras. Ouvi o *toc-toc-toc* da bengala do velho e cego Pew batendo no escuro. Ler Stevenson e me sentir tocado por ele é uma das minhas melhores memórias. Foi por causa disso que decidi me tornar um escritor. Naquele exato momento, eu soube de cara: é isso que eu quero fazer. Bem, hoje eu faço isso. "

Natural de Minas Gerais, é escritor tradutor, roteirista de cinema e admirador de orcas. Padeceu de uma graduação em Literatura Inglesa, mas agora estuda Moda e prepara sua primeira coleção. É autor de romances como *A Batalha do Acampamonstro* e *A Espada de Herobrine*, além de contos em livros e revistas como *Dragão Brasil* e *Trasgo*. Seus livros estão publicados em 13 países pelo mundo e em vários idiomas. Não se dá bem com Hanzo Mains.

OLÍVIA PILAR

"Quando fui convidada para esta coletânea, logo pensei em uma certa primeira vez clássica. Aquela que sempre vem à tona quando usamos essa expressão. Mas, minutos depois, respirei fundo e refleti sobre o que eu gosto de escrever. Sobre o que significava, de verdade, primeiras vezes para mim. E então eu encontrei meu caminho. Não era tão difícil quanto imaginei, afinal, a vida é cheia de primeiras vezes e elas nos marcam de diferentes formas. Eu só precisava encontrar aquela que tivesse deixado um sentimento sobre o qual eu gostaria de escrever. Um sentimento que se relacionasse com a forma como eu conto histórias. Como eu gosto de escrever sobre a juventude, busquei um momento dessa época da vida em que nossas descobertas são tão importantes. E acho que encontrei."

Mineira formada em Jornalismo pela PUC-MG e mestranda em Comunicação Social pela UFMG. É apaixonada por futebol, celebridades *teen* e séries de televisão. Olívia sabe da importância da representatividade da mulher negra na mídia e traz essa realidade para as suas histórias. É autora dos contos "Entre Estantes", "Tempo ao Tempo", "Dia de Domingo" e "Pétala", que figuraram na lista de mais vendidos da Amazon, e de um romance na plataforma Wattpad, *Dois a Dois*. Também participa das coletâneas *Formas Reais de Amar*, *Qualquer clichê de amor* e *Confetes & serpentinas*. Conduz o *podcast* Duas Limonadas com a escritora Solaine Chioro.

VITOR MARTINS

"Escrever sobre primeiro término foi uma escolha difícil porque eu sabia que, como tudo que eu escrevo, precisaria colocar um pouquinho de mim e das minhas experiências ali, e poderia acabar se tornando um conto muito triste. O que eu não esperava era que, assim como acontece durante a madrugada de autoconhecimento e Doritos de Adriano, colocar essa história no papel também seria um processo de autoconhecimento para mim (sem o Doritos, porque eu nem gosto de Doritos). Escrever sobre términos me ajudou a olhar com mais cuidado para tudo de ruim que pode acontecer em um período como esse e entender que, às vezes, as coisas precisam dar errado antes de começarem a dar certo, e que depois da tempestade sempre vem o arco-íris. O que é um pouco brega, mas também é verdade."

Nasceu em Nova Friburgo, região serrana do Rio de Janeiro, e atualmente mora em São Paulo. É autor dos livros *Quinze dias* e *Um milhão de finais felizes*, formado em Jornalismo pela Universidade Cândido Mendes e trabalha com *marketing* editorial. Acredita que a diversidade na literatura jovem é uma arma poderosa, e seu principal objetivo como escritor é contar histórias de pessoas que nunca conseguiram se enxergar em um livro.

SUA OPINIÃO É MUITO IMPORTANTE
Mande um e-mail para opiniao@vreditoras.com.br
com o título deste livro no campo "Assunto".

1ª edição, set. 2019
FONTE Karmina e Karmina Sans 11/14pt, Thunderhouse e Shelton Slab
PAPEL Pólen Bold 70 g/m²
IMPRESSÃO Gráfica Santa Marta
LOTE SM329538